网络地理信息系统与空间元数据

李宏伟　李中原
黄建都　陈书涛　编著

黄 河 水 利 出 版 社

内 容 提 要

本书介绍了网络地理信息系统和空间元数据的基本概念、基本原理、基本方法，共分为11章，主要内容包括地理信息系统和互联网、服务器端GIS操作、客户端GIS操作、可扩展标识语言、信息网络、分布式对象和OpenGIS、Web上的元数据和元数据标准、数据仓库和对地理信息系统新技术的展望等。本书以基本概念、基本理论为核心，以网络GIS建设必须解决的问题为主线，力图给读者一个清晰的网络地理信息系统的总体构架。另外，书中给出了大量的实例和底层开发应用程序，可作为程序员开发在线地理信息系统时的参考素材。

本书面向地理信息系统开发人员和广大用户，也可作为大专院校地理信息系统专业及相关专业高年级学生、研究生参考用书。

图书在版编目(CIP)数据

网络地理信息系统与空间元数据/李宏伟等编著.
郑州：黄河水利出版社，2004.4
ISBN 7-80621-765-7

Ⅰ.网… Ⅱ.李… Ⅲ.计算机网络-应用-地理信息系统 Ⅳ.P208-39

中国版本图书馆CIP数据核字(2004)第016891号

出 版 社：黄河水利出版社
地址：河南省郑州市金水路11号　　邮政编码：450003
发行单位：黄河水利出版社
发行部电话及传真：0371-6022620
E-mail:yrcp@public.zz.ha.cn
承印单位：黄委会设计院印刷厂印刷
开本：787 mm×1 092 mm　1/16
印张：10.5
字数：243千字　　印数：1—2 000
版次：2004年4月第1版　　印次：2004年4月第1次印刷

书号：ISBN 7-80621-765-7/P·31　　定价：25.00元

前　言

自 20 世纪 60 年代加拿大着手开始建立加拿大地理信息系统(CGIS)至今，GIS 已经走过了 40 年的发展历程。历经 40 年的发展，GIS 取得了十分辉煌的成就，已经广泛应用于政治、经济、军事、社会、环境、人类生活等各个方面。可以说 GIS 无处不在。

GIS 的发展与计算机技术的进步密切相关。今天，随着计算机技术的发展，人类已进入以 Internet 和 WWW(World Wide Web)为代表的网络时代，GIS 通过 WWW 的扩展，已经真正成为一种大众使用的工具并进入了千家万户。从 WWW 的任何一个节点，Internet 用户都可以浏览 WWW 站点中的空间数据，进行各种空间查询和分析，制作专题地图。因此，在网络环境下，地理信息资源的分布和共享问题成为 GIS 关注的焦点。

本书围绕网络地理信息系统和空间元数据问题展开论述，主要内容包括地理信息系统和互联网、服务器端 GIS 操作、客户端 GIS 操作、可扩展标识语言(XML)、信息网络、分布式对象和 OpenGIS、Web 上的元数据和元数据标准、数据仓库和地理信息系统新技术展望等。该书以基本概念、基本理论为核心，以网络 GIS 建设必须解决的问题为主线，力图为读者构建一个比较清晰的网络地理信息系统的总体架构。书中给出了大量的实例和底层开发应用程序，可作为程序员开发在线地理信息系统时的参考素材；本书注重基本概念的分析，能够帮助初涉 GIS 领域的读者奠定良好的学习基础。“纸上得来终觉浅，绝知此事要躬行”，希望本书的出版能在 GIS 领域激起点点浪花，吸引更多的 GIS 开发者和用户来关注网络 GIS 的应用和发展。

GIS 研究和开发领域还面临着许多亟待解决的问题。从技术层面上分析，GIS 要解决“4W”问题，即 Where、When、What Object、What Time；从应用层面上看，GIS 要做到“4A”服务，即 Anybody、Anything、Anywhere、Anytime。由此可见，地理信息系统建设任重而道远，构建新一代 GIS 是摆在广大地理信息系统工作者面前的十分艰巨的任务。

黄河水利出版社马广州编辑以及硕士研究生赵姗、常小慧同学，为本书的出版提供了许多宝贵的资料，做了大量的工作。在此，作者对他们表示衷心的感谢。

本书不足之处，欢迎批评指正。

(E-mail: laob-811@sina.com)

作　者

2003 年 8 月

目　录

第1章　概　述

GIS是获取、存储、理解、显示有组织的空间信息的计算机系统。GIS的产生和发展源于许多不同应用目的的学科，包括地图学、地理学、地质测量、环境管理、城市规划等。目前，GIS已成为所有这些专业领域的必不可少的工具。

地理信息系统建立后，其功能和应用范围正在发生重大的变化。地理信息已不再孤立于单机上，一个新的在互联网上存储与访问地理信息的环境正在形成。我们将讨论这种变化，它所带来的冲击是非常巨大的，如因特网提供了一种强大的信息访问能力。不过，更重要的影响是因特网为不同来源的数据综合集成提供了可能性，而这在以前是难以想像的。为了能在这种新的环境中工作，管理人员、开发商与用户都必须学习一些新的基本技术。

许多在线制图的商业开发正在积极推进。我们的目的不是描述或罗列其中的细节，而是考察其发展特点，在考虑把地理信息发布到网上之前，对信息的类型及其具有的功能有一个清晰的轮廓。首先，简要回顾一下GIS中的一些概念。

1.1　GIS的特征

1.1.1　GIS数据

在GIS中，地理数据由图层组成。一个图层是具有共同主题或类型的地理索引数据集，例如海岸线、道路、地形、城镇、公共用地。为了制作一张地图，GIS用户需要选择基本地图，通常是关键图层集合(如海岸线、道路)，再叠加选择的图层。通常，图层分为以下三种类型：

(1)矢量数据。矢量图层由点、线、多边形对象组成。这类数据通常存储在数据库的数据表中，表中的每个记录都包含着对象在空间的属性，包括位置。

(2)栅格数据。由规则的像元阵列来表示空间对象分布，阵列中的每个数据表示对象的属性特征。栅格数据如卫星影像、数字航空摄影相片等。影像记录的光谱数据是每个像元所对应的地表区域内所有地物光谱辐射的总和。栅格数据记录的是数据本身，而位置数据可以由属性数据对应的行列号转换为相应的坐标。

(3)数字模型。计算任何地方地表属性的值，例如根据数字高程模型(DEM)可进行插值运算。实际应用中，数字模型通常被转换成矢量数据或栅格数据进行显示和使用。

正如上面提到的那样，矢量数据通常存储在数据库表中，这就可以根据属性进行大范围的搜索或建立索引。这些数据也可以通过建立空间索引来搜索和查找。例如：四叉树就是这样一种结构——它按照任意的尺度把一个区域分成四个象限，任何数据项可根据它所在的象限进行索引，这个过程适应于本地快速检索。

叠置分析是GIS中经典的分析工具。某些在线服务也允许数据层在不同的背景上进行叠置(见图1-1)。

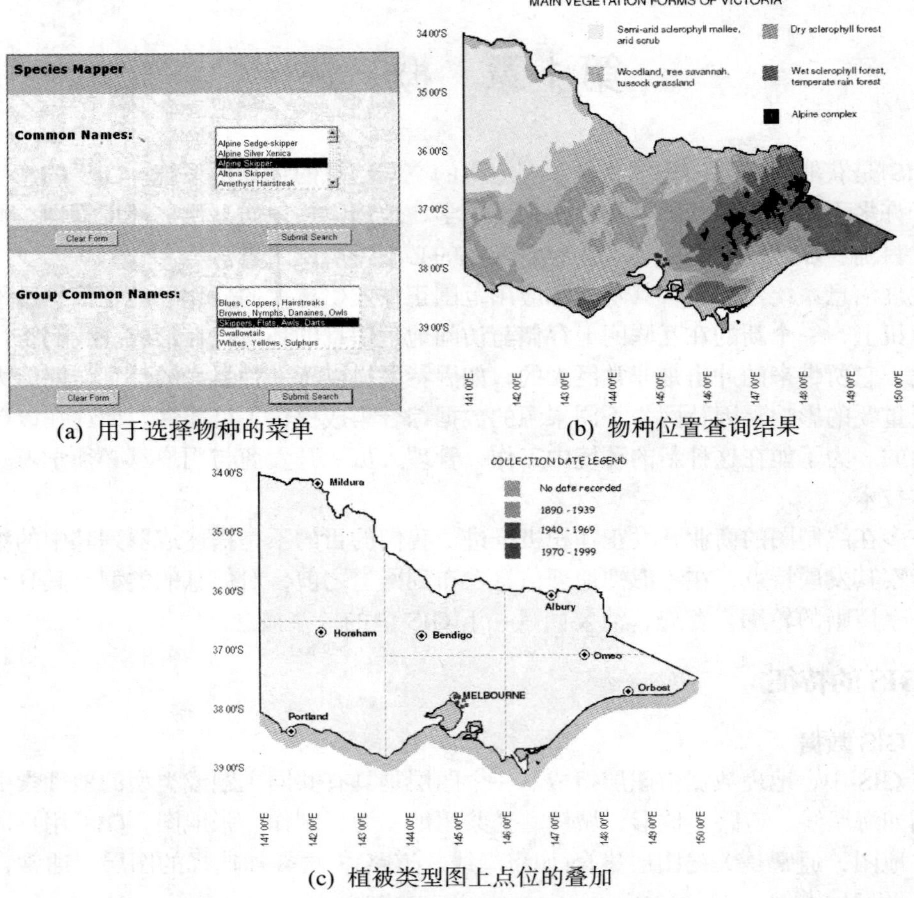

(a) 用于选择物种的菜单　　(b) 物种位置查询结果

(c) 植被类型图上点位的叠加

图 1-1　在线空间查询和地图系统示例

1.1.2　GIS 功能

尽管通常多数情况下 GIS 是与地图生产密切相联系的，但是 GIS 包含着更丰富的形式和功能。最普通的(但绝不是惟一的)是 GIS 输出地图的功能。这些地图既可以是给定地区的单图层图，也可以是查询结果的显示。GIS 中的查询分为两个类别。

第一类问题包括某单一图层的特征。例如：

(1)对象 X 在哪里？如：北京在哪里？

(2)对象 X 多大或多长？如：长江有多长？中国的面积多大？

(3)具有某一特定属性的所有对象在哪里？如：大庆油田在哪里？

第二类问题包括了两个或多个图层的叠加。例如：

(1)在指定类型的区域内找到什么对象？如：在某个省或地区里有什么矿藏？

(2)两种对象之间重叠的区域是什么？如：国家公园里某种林型的分布面积？一条规划的高速公路能穿过哪些农场？

(3)什么环境因素会影响稀有物种的分布？

叠置过程通常包含新数据层的建立。设想由多边形组成的两个图层进行叠置(如选举区和灌溉区)，那么叠置结果应是两个图层中多边形交叉构成的新多边形。

GIS 的两种重要功能是数据分析和模型分析。数据分析工具包括一组比较、分析数据层的技术，如变量的空间相关性(如：医疗条件与地域污染水平的关联)、最邻近分析(如：鸟巢紧靠在一起的海鸟物种的数量)、形状的分形维(如：森林地类界)。

GIS 中的数据模型通常就是图层，通过其他图层的操作运算得到。例如：在地形图上，将水流和降雨以及土壤类型等输入到一个模型中，可以输出一幅土壤湿度图。在传统方法中，这些图层是通过综合软件包处理的。同时，很显然，这些数据集可能来自不同的地区，在线系统允许每一个组件从不同的结点进行动态访问。

1.1.3 GIS 对象模型

GIS 的影响之一是引入了一种全新的探究空间数据的方法。尽管地图学领域在 GIS 出现之前就一直致力于数字化多年，但重点仍只是在地图生产上。例如，一张道路图，是由绘制到纸张上的线划构成的，道路和城镇的名称注记则构成一个文本数据集。在地图上表达一个城镇的点位和该城镇的名称之间没有直接的关系，只有地图被印刷出版时这些关系才变得十分明显。

当科学家将空间数据用于研究目的时，面向地图生产方法的缺点就突现出来了，用以下几个例子来说明：

(1)某地区的河流数据存储为若干分离的线段，每条河流数据由许多独立的线段构成，没有迹象表明这些线段有着惟一的特征；河流被分成若干段是因为地图表达的需要，而不管其他的特征要素被绘制在地图上的什么地方。

(2)在一个城镇的地名词典里，每一个地名注记位置都会有一些小小的误差。这是因为每个地名注记只是放在地图上相对于城镇比较美观、方便的位置，而不一定是精确的实际位置，所以出现位置偏移是难免的。

GIS 带来的最大变化是把地理特征作为明确的对象存储，所以一条道路就被存储成有特定属性的对象。这些属性包括它的名称、类型、质量特征和一系列表达道路所穿过路径的坐标。例如，一张地图包含下列对象(见图 1-2、表 1-1)：一条道路连接两个城市，城市有两个属性(名称和规模)，道路也有两个属性(名称和等级)。

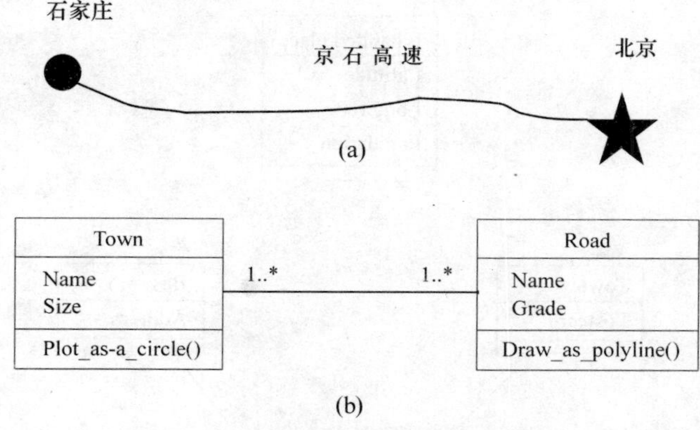

图 1-2　一个简单的地理对象

注：(1)(a)所表示的对象绘制在地图上；(b)表示应用 UML 绘制的两个对象类的简单模型，图框表示对象类，与每个对象相关，模型定义了两个特征属性和绘制方法。(2)连接两个类的线表示两者之间的关系。(3)1..*表示每条道路是与一条或更多个城镇相连。

表 1-1 图 1-2 所表达的对象数据

对　象	名　字	类　型	属　性
1	北　京	城　市	首　都
2	石家庄	城　市	省会城市
3	京石线	道　路	高速公路

在这种面向对象方法中，每一个地理对象属于某个对象类。在图 1-2 中，对象北京和石家庄都属于城市类，每个都是城市类的一个实例(见图 1-3)。类的概念在 GIS 中是十分重要的，这暗示着一种处理地理数据的方法。

每个对象都有与之相关的属性值。对城市类，至少包括名称和位置(经纬度)。当然，还可以包含许多其他描述城市的属性值，如人口、所在省份名、地址以及电话区号等。定义一个类的重要意义在于对添加到 GIS 中的其他任何城市对象类，我们拥有所需提供的精确数据列表。

GIS 中的面向对象方法有很多优点。首先它对每个地理实体进行了完全封装，这不仅包括数据，而且扩展到处理数据的方法。例如，城市对象可能包括将城市绘制在地图上的方法，在这种情况下，可以将一个城市画成一个圆点，圆点的大小取决于城市人口规模。面向对象方法的另一个优点是我们可以定义不同对象类之间的关系。比如我们前面描述的城市类其实属于更一般意义上的对象类，我们称其为居民区。这个具有普遍意义的对象类不仅包括城市，也有城镇、军事基地、研究机构、厂矿、农田和其他人类建筑。

城市类继承了居住地的一些属性，最基本的特性包括位置以及当前人口等。城市类的其他特性，如它与城市政府机关联系的紧密程度，却是独有的，不能为全部居住地分享。居住区实际上构成了一个层级系统(见图 1-3)，中心城市继承了来自城市的特性，城市继承了来自城镇的属性，城镇继承了来自居民区的属性(见表 1-2)。因而，一个中心城市至少有六个属性。

对象模型通常用对象类术语和对象之间的关系来描述(见图 1-3)。对特定的数据对象模型和处理，UML(一致性模型语言)提供了一种标准方法(Larman，1998)。

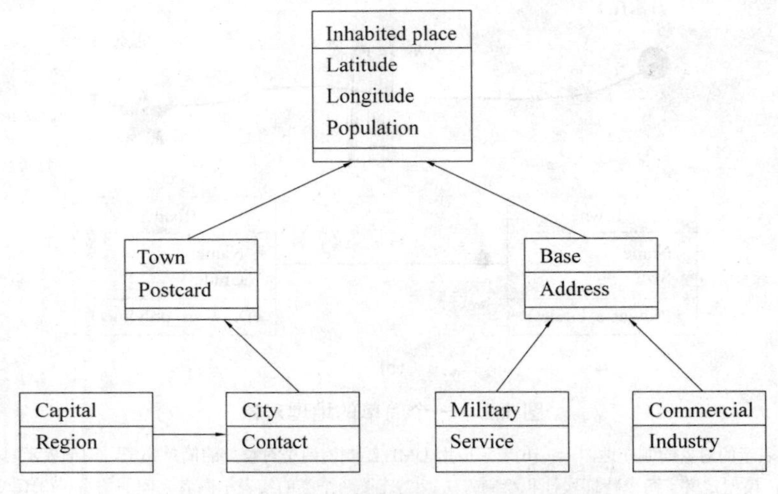

图 1-3　用 UML 勾画的一个简单数据模型

图 1-3 用 UML 勾画的一个简单数据模型，表明了几个地理对象类之间的关系。每个对象的属性得以表达，但方法却被忽略。箭头表明了对象类之间的总体对个别的关系。例如一个城市是一种特定的城镇类，并继承了所有城镇的属性。同样地，一个中心城市也继承了这些属性，如邮政编码、相互联系、区域等。

表 1-2 居住地类体系

类	属 性	方 法
居住地	位置、人口	画一个小圆
城镇	邮政编码	画一个圆
城市	与政府机关的联系	画一个阴影圆
中心城市	区域服务	画一个大阴影圆

对象类关系之间联系的另一种重要类型是整体和部分的关系。例如，一幅地图由几个要素构成，有边界、比例尺和可能的几个层，每个图层包含许多要素。图 1-4 是一个简单的地图类实例，表明了整幅地图作为部分的组合。因此，当绘制一幅地图时，我们需要依次绘出每个要素。

制图活动的一个引人入胜的领域是面向对象数据库。传统的关系数据库以表和表之间关系存储数据。随着多媒体技术和万维网技术在过去十几年的发展，不仅限于数据存储，而且还要存储诸如视频、影像、文本等多媒体信息，反映动态变化，改进查询机制。

与此同时，一种将数据作为具有相关对象查询语言的完整对象的思想出现了。在关系模型中，一个复杂对象可能被分解为许多表；而在对象模型中，对象(数据和方法)作为一个实体被存储。一个典型例子是提取某地与许多其他事物的距离地图和相关方法(见图 1-4)。

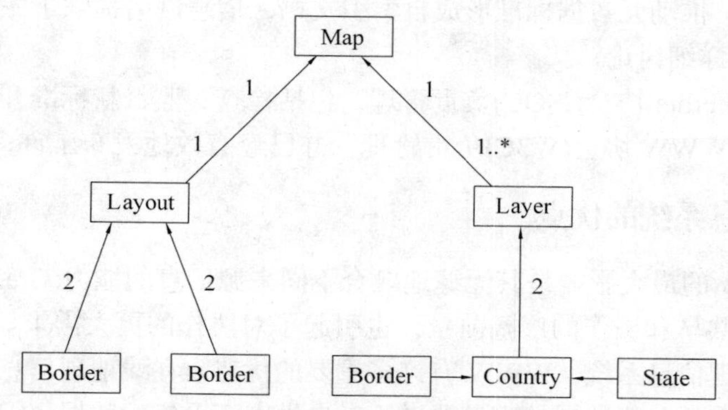

图 1-4 一个地图类是一个由几部分构成的组合

面向对象数据库模型对 GIS 数据极具吸引力。可是，商业化的现实却是不同的。企业数据库存储大量的信息，需要异常的稳健性，在转换和优化方面需要嵌入非常多的经验。面向对象数据模型拓展了一条很漫长而前景广阔的路，尽管目前它所占的市场份额还相对较小。

1.2 Internet 的兴起

Internet 是一个巨大的通讯网络，它把全世界大约两亿台计算机连接在一起。Internet 在过去的几年里增长迅猛，引起了所谓的“信息爆炸”。从用户的视角看，该过程强调几个关键的需求：

(1)自组织。为确保用户能轻松快捷地获得信息，Internet 搜索引擎技术得以快速发展，很好地满足了网络信息服务。可是由于垃圾信息的膨胀，如何获得有价值信息的问题就十分突出，基于用户兴趣和优先权的自组织方法是惟一可行的解决方案。

(2)稳健性。确保资源持久实用，确保联系不会过时。不是在一个中心采集信息，一个很重要的原则是保持信息站点应该是基本的信息源。数据集的复制很快就会过时，所以确保与保持数据集的站点的持续联系是更为有效的，而不只是简单地拷贝它。

(3)质量。确保信息是有效的、正确的，数据是可更新的和精确的，软件能正确地运行。

(4)标准化。确保信息的形式和内容规范，便于实际应用。

Internet 的兴起，特别是 WWW 在 20 世纪 90 年代的发展，引起了信息发布的革命。一旦某个组织或部门在网上发布了信息，任何人在任何地方都可以获取它。这意味着人们获取相关信息比以前更简单、更快捷、更有效率。如在线填写一张表格，远程用户即可查询检索数据库。GIS 以前要求专业化，通常花费很贵，需要特定的设备，而现在只需要一个标准的 Web 浏览器就可以进行远程访问了。

自 1999 年美国国家超级计算机应用中心 (NCSA) 发布第一个多媒体浏览器(Mosaic)以来，WWW 上的信息量呈指数增长。信息的爆炸首先是由数据提供者推动的，他们认识到发布信息能吸引网民的注意。随着信息量的增长，用户开始按需推动这一进程。

在线信息的爆炸是个问题。在成千上万条信息中能找到一条自己需要的信息简直就像大海捞针一般。有发展潜力的搜索信息的方法包括智能代理技术的应用——筛选和记录相关的数据项。推动元数据标准形成自索引文档，信息网络提供了一种组织信息源的方法(第 6 章将有详细讨论)。

Internet 由 Internet 协会(ISOC)负责管理，包括检查、监督新标准和协议的发展和执行，WWW 则由 WWW 协会(W3C)负责管理，并已经有效地发布了许多标准。

1.3 分布式信息系统的优点

或许 Internet 的最大影响是其无缝地融合不同来源信息的能力(Green，1994)。这种能力拓展了数据共享和操作的广阔前景，也引起了对协作的更大需求。

作为一个地理信息系统，WWW 有许多重要的优势。在线地理信息系统发展最大的实际问题之一是需要采集数据的容量陡增。来自供应商采集的数据集需要较长的周期，大多数系统需要专业的、必须是开发者自己采集的数据。开发者之间不可避免地缺少交流，导致了许多重复性劳动。Internet 有潜力减少这些问题的困扰。

从原理上讲，单个数据集或数据层的提供能够将他们的产品在线发布。这些方法不仅加快了 GIS 的发展，而且也有助于减少重复劳动。事实上，数据的在线分布对在线 GIS 开发者来说提供了更丰富的信息。在线信息共享把各种数据采集工作分配到许多部门来共同完成，简化了信息的更新。

在线 GIS 的另外一个优点是，它扩展了 GIS 开发商和用户可用的具有发展潜力的工具。正如我们在第 2 章中将要看到的，对 GIS 在线发布可以有很多选择，最终是减少了开发者的经费投入。设计特定应用目的的小型 GIS 不仅是可能的，而且是有效的，如为在线文档或数据库提供地理接口。

鉴于上述优势，对执行 GIS 在线出版商来说，通常意义上的编排工作是没有必要的。GIS 服务可以通过租用来自专业 GIS 站点的信息来实施，如某旅游部门提供有关旅行、食宿等，要提供一幅街道图来表明数据库中每个站点的位置。这对旅行者来说是非常有用的服务，借此他们可以在陌生的城市，很方便地找到他们想居住的旅馆。无须发展一系列的地图本身，旅游机构就可以安排连接到提供所需的街道图的位置。这样的安排使得 GIS 获得了许多新的商业机会，主要是通过网络提供地理信息服务。在第 11 章我们将看到一些新的商业模型的应用。

对 GIS 用户来说，GIS 的发展前景是十分令人鼓舞的。Internet 给 GIS 带来了成千上万的不懂得使用必要设备和专业软件的用户。除了提供免费的有价值的服务外，还有访问完全 GIS 解决方案的需求。例如，用户不需购买完整的 GIS 软件，却可以从供应商那里买到他们需要的 GIS 服务，对于长期固定用户，可以在网上付款购买。另一方面，非固定短时间用户，可以用同样的方式购买一些特定的服务，就像以前买纸质地图一样，按需购买和接受供应商的服务。

为了将上述可能性变为现实，在线 GIS 的管理经营者需要构建一种合作和共享的氛围。Internet 是一个理想的合作媒体和桥梁，它使得在多种尺度上的信息交流和共享达到了一种前所未有的程度。然而，起初 Internet 的迅速增长却导致了许多混乱。由于商业利益的驱动，人们看到了 Internet 作为传统市场竞争手段的延展，可以由此获得更大的利润空间。这在一定意义上阻碍了信息资源的共享。为了解决这个问题，有关组织和国家要求就数据记录达成协议，制定相应的标准，提供质量保证、版权所有、承担法律责任等。在后面的章节(特别是第 6 章)我们将详细地讨论这些问题。

1.4 分布式信息实例

万维网(WWW)具有连接诸多不同来源信息的能力，并形成一种协作效应，使整体信息资源大于部分之和。最早证明 Internet 这种能力的是一家名为虚拟旅行者的服务机构，由 Brandon Plewe 于 1997 年所创。通过构建一个中心地理索引访问不同国家的旅游信息，重要的是，这些信息是跨越成千上万个站点分布的，而且地理索引并不指向某个具体国家，只是指向有关特定主题的详细信息源。这样系统允许用户点击进入到任何一个国家，通过简单的鼠标操作即可获得有关旅游、天气以及其他有用信息的详细报告。

很多例子表明，众多领域都强调分布式在线信息系统的优势，很多领域一开始就强烈依赖于 Internet，如生物工程技术。在该领域，大量在线资源是进行基因图编纂、蛋白质排序、酶特性分析、分类学记录。同时，也提供许多大型应用软件库和对数据进行处理及说明的在线服务。多数著名站点也提供了领域广泛的其他各类信息，包括文献目录、电子新闻组和教育素材，所有这些资源都可以在线访问。有些大的机构，如欧洲分子实验室(EML)实际上就是一个跨网络的国际合作组织。研究人员必须将他们的数据提供给在线仓库，作为参入科学研究和合作的条件，这是一种典型的网络环境下科技资源共享的实例。

许多环境信息也已经在线共享。环境科研人员已经做了很多努力，借助在线信息关注环境资源领域的进展，如林业和生物多样性问题。无论何种情况，都会出现新的可能性引导人们和有关机构重新思考工作的方式，从更广阔的意义上观察问题，筹划加强国际合作的计划。

我们认为，在线 GIS 代表着一种全新的工作环境。本书力图达到两个目的：第一，向读者介绍在线 GIS 的基本技术；第二，展示在线地理信息如何协同的模式。

为此，需要考虑几个不同的方面。首先，必须理解 GIS 在 Web 上的处理机制。其次，转向考虑数据如何组织、访问、搜索查找、维护、获取和处理；包括研究相当复杂的标准和规范，并对它们进行重新定义，以适应未来在线 GIS 的应用。XML 构成了目前网络标准的基础，如关键标准 RDF 就是一种适于 Web 的元数据标准。还有一个十分重要的概念是分布式对象以及它怎样适合于 OpenGIS 框架体系。考虑上述所有细节，我们现在来研究 GIS 的元数据标准的内容，探讨以怎样的方式在线开展工作。

到目前，有一个问题我们一直避而未谈，即关于已有 WebGIS 软件的详细讨论。主要原因是随着软件供应商对相关标准的发展，软件工具适应的范围和特性变化太快。

本书第 2 章～第 5 章介绍发展和实现在线 GIS 的技术方法。这些技术细节和范例提供给开发者，并帮助他们理解关键技术点，也提供给读者必要技术背景资料。第 2 章围绕在线 GIS 阐述主要技术点，给出一些方案概述。第 3 章描述在 Web 服务器上进行的各种开发和操作。第 4 章介绍在标准的 Web 浏览器上执行操作运算的 GIS 工具。第 5 章涉及关键的开发语言——XML。很多年来，SGML 国际标准变得越来越没有生命力了，除在像美国军队这种少数几个庞大的组织外，几乎不再使用。某种程度上是因为它的高度复杂性和处理工具的高昂开销。但是随着 Web 的日益增长，对一个有较好组织性的研究的需求变得迫切起来。HTML，这种 Web 语言实际上成了一种 SGML DTD，显然，一种完全的 SGML 标准简化版是迫切需要而且有优势的。因此，XML 出现了，并且改变了绝大多数其他网络标准。SGML 也成为编写空间元数据标准的一种选择，但是，现在它正在被 XML 所替代。

第 6 章～第 9 章介绍探讨在因特网分布式环境中协同地理信息发展的一些关键技术。第 6 章开始讨论信息网络的本质特性。信息网络是一个信息可以在许多不同站点协同分配的系统。第 7 章介绍了一些在分布式信息系统中可以共同互操作的标准，最著名的是 OpenGIS。同时，特别关注与分布对象相关的标准，在计算机网络中，对象的位置实质上是透明的。第 8 章介绍元数据的概念体系框架，研究 RDF 和适于 Web 的网络标准。第 9 章介绍几种全世界应用的空间元数据标准，该章建立在第 5 章的 XML、第 7 章的分布式对象模型和第 8 章的元数据原则基础之上。第 10 章着重介绍分布式信息装入数据仓库的方法，介绍在这种系统中数据挖掘的基本思想。

本书的最后部分，第 10 章和第 11 章，展望在线 GIS 的发展前景。第 10 章讨论了一些与地理信息相关的最新技术。第 11 章介绍了一个全球地理信息系统的内在可能性，以及由在线 GIS 引发的可能性。

第 2 章　地理信息系统和互联网

2.1　在线 GIS 的优势

万维网正以极快的速度发展成为 GIS 的标准平台。大量的地理信息服务已经出现在万维网上(Green，1998)，在万维网上应用的大量环境信息给我们留下了深刻的印象。开发商已经研制出各自的 GIS 软件在线版本，提供各种在线服务，包括空间查询检索和地图制图等。

在线 GIS 系统较之单机 GIS 系统有几个潜在的优势，包括：

(1)全球范围的访问。一个基于 Web 的信息系统可以访问世界上任何地方。

(2)标准化的界面。每个 Web 用户都有一个浏览器，所以基于 Web 的任何系统可以被任何人访问，而无须昂贵的、专门的设备。

(3)更便捷、更低廉的维护。在万维网上，可以直接访问信息源，没有必要集中在一个中心进行数据分类。

在这一章中，我们讨论如下问题：

(1)讨论发展在线 GIS 的一些技术问题。

(2)简要分析目前在线 GIS 的一些实例。

(3)说明一些实现系统基本类型的简单方法。

(4)讨论在线 GIS 的未来发展。

2.2　新媒体引发的争论

Internet，特别是万维网，对所有各种计算都是一种新的环境。相对于单机环境，它提出了许多在单机环境下根本不存在的新问题和新挑战。

在下面的在线 GIS 讨论中，我们主要解释实现标准 GIS 操作的方法，关注 Web 环境的特性、用户界面和地理数据及其处理的分离。

2.2.1　Web 环境

Web 应用超文本转换协议(HTTP)实现了互联网的通讯。HTTP 是一种客户/服务器协议。客户端为用户浏览器程序，它传送一个查询请求到一个 Web 服务器，然后等待得到回应。在 HTTP1.0 版本中(目前仍为大多数服务器所应用)，这些事务处理建立在无联系的、单一的查询基础上。一个用户即使对相同的服务器进行了一系列查询，该服务器通常并不保留过去的查询历史记录或建立客户“话路”。这跟几个其他的 Internet 协议如 FTP 和 Telnet 相反，FTP 和 Telnet 服务器建立了与客户的“login”对话。

运行在开放计算机上的交互式 GIS 软件隐含了一种假设，即程序的当前状态是用户跟 GIS 软件交互的直接结果。

HTTP 和相关的客户/服务器软件具有相同的技术优势。由 HTTP 提供的任何服务都可以立即应用于任何运行合适客户程序的人和计算机。

WWW 浏览器和客户的重要特征包括：

(1)允许浏览所有主要网络协议(FTP，Telnet 等)。

(2)允许使用文本和影像、图片，是真正意义上的电子图书。

(3)综合运用各种显示工具，能阅读影像、声音、脚本、动画等信息。

(4)允许用户自己的本地数据和来自 Web 上的任何地点的信息的无缝集成。

(5)表单式界面支持用户与以表的形式出现的文档交互，包括按钮、菜单、对话框等，并通过复杂的查询返回到服务器。

(6)影像图接口允许用户交互地查询一幅地图，允许用户以与 GIS 类似风格的形式，通过点击一张世界地图而获得不同国家的信息。

(7)授权许可特性提供了各种安全保证，如限制对特定信息的访问，需要提供访问密码等。

(8)SQL 网关允许用户通过对服务器数据库的查询，实现资源共享的目的。这种网关已在许多数据库中实施(如美国和欧洲的植物志和动物志、DNA 序列等)。

(9)具有在服务器上运行脚本和程序的能力，具有传递查询结果到 WWW 的能力。

(10)动态计入文件的能力，以极快的速度建立和传递文档的能力。

这些技术提供了足以进行简单空间查询的功能。最近的两项 Web 技术创新允许浏览器和客户做更多的事：

(1)来自 SUN 公司的 Java 语言是一种功能强大的程序语言(详见第 4 章)，具有高级图形特征，不久将用于完全三维空间，这种语言是独立于计算机的和安全的。

(2)SVG 和 X3D 丰富了 XML 顶层的图形语言(详见第 5 章)，这将使 XML 用于矢量图形和 3D 构建，对 GIS 发展极富潜力(见第 4 章关于 SVG 的进一步讨论)。

2.2.2 用户界面的分离

Web 环境将用户界面同数据处理站点分离开来。考虑到系统的反应速度，这种分离对任意操作可能会产生一些问题，我们来看下面的例子：

(1)最普通的一个 GIS 操作是用计算机鼠标点击来定义一个多边形， 标准 Web 浏览器处理单一鼠标点击事件作为一种激发传递查询到服务器，来自服务器的响应极其缓慢而不能维持相关的程序。

(2)地理查询经常是上下文关联敏感的。例如，一个用户可以希望有一个流行的地图菜单，很快地显示关于空间对象特征的数据。

2.3 在线 GIS 举例

目前大多数在线地理信息服务可以分为两类，即空间查询系统和地图建立程序。本书中的大多数例子都是限于这两种功能，只是在第 11 章有些例外。只有少数服务要求提供更高级的 GIS 功能，如数据分析和模拟。当然这些功能在在线 GIS 环境下也是可行的。正如我们在后面章节中将要看到的，Internet 环境下实现 GIS 高级应用的标准和工具正在发展之中。

2.3.1 空间查询

最常用到的在线 GIS 功能是基于空间位置的查询，包括选取空间对象，如国家或省，或一些随机点。对象最常见的是按文本界面选择，如一个列表或一个数据库查询表单。随机点通常是通过影像地图、表单影像或 Java Applet 选取(见第 4 章)。Web 浏览器是基于超文本概念的，允许更复杂查找的系统还为数不多。下面是一些实例。

2.3.1.1　虚拟旅行家(VT)

虚拟旅行家(Plewe，1997)是一个为旅行者和旅游业提供世界各地详细旅游信息的在线 GIS 服务系统。从一张世界地图开始，用户可以点击地图进入，直到选择一个他们喜欢的国家或地区为止。

VT 是最早的在线超媒体范例。它通过一张索引地图进行导航，连接世界上各个提供旅游资源信息的国家，而且由专门的机构负责对信息进行更新(见第 6 章)。

2.3.1.2　Pierce 县数据库

美国华盛顿州 Pierce 县创建了一种公共在线 GIS 服务，称之为 MAP—Your—Way!™。该系统提供了一种对众多县级单元公共数据库的灵活的、易于访问的界面(见图 2-1)。任何用户都可以创建一幅自己习惯的、任何县的综合特征地图。该系统是由 ESRI 制图软件工具实现的。

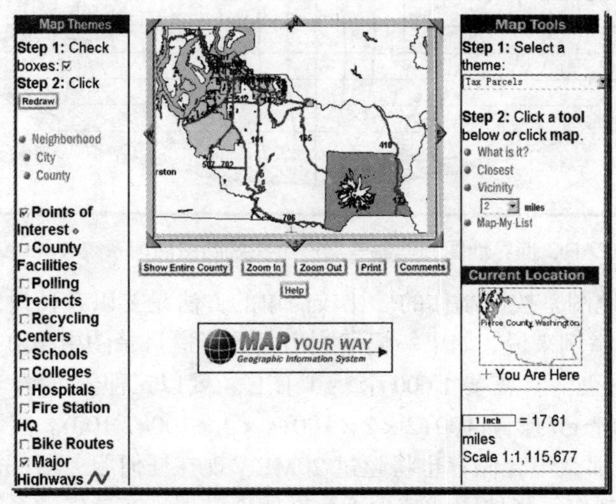

图 2-1　Pierce 县 MAP—Your—Way!™ 在线信息系统界面

这些站点包括对如下关键问题的授权许可：数据容限、解释、空间精度、可靠性以及对商业应用的警示。

2.3.2 地图建立和传输

对于构建用户定义的地图在线工具，已经很普及。下面是一些例子。

2.3.2.1　澳大利亚的交互式制图环境

纸质地图的麻烦之一，是用户需要的信息可能跨两张或更多张地图。这可能是由于用户研究的地域覆盖两张或多张地图所表达的范围，也可能是用户想达到综合显示那些非正常分幅的数据所需。GIS 克服了这个问题，允许用户按需交互地组合研究区域的任何数据层来建立自己的地图。然而，多数潜在的地图用户不会直接访问单机版 GIS。在线地图创建服务器通过在线界面，给用户提供地图分层数据和绘图运算法则来解决这个最终的障碍。

该种服务的一个好的例子是有“环境澳洲”提供的在线环境资源制图系统(ERIN，1999)。它能按需绘制任何区域基本地图，该系统也允许用户选择大范围环境数据层等进一步的信息。

2.3.2.2 Xerox PARC 世界地图阅读器

第一个在线地图构建程序是 Xerox PARC 地图阅读器(Xerox，1993)。原始系统能以任何分辨率绘制世界任何地区的简单矢量图(见图 2-2)，完全采用菜单操作。用户可以在任何时间从选项中选取一些因素来建立一幅地图，最新版本已经增加了新的特征和界面功能。

Xerox PARC Map Viewer:world 0.00N 0.00E (1.0X)

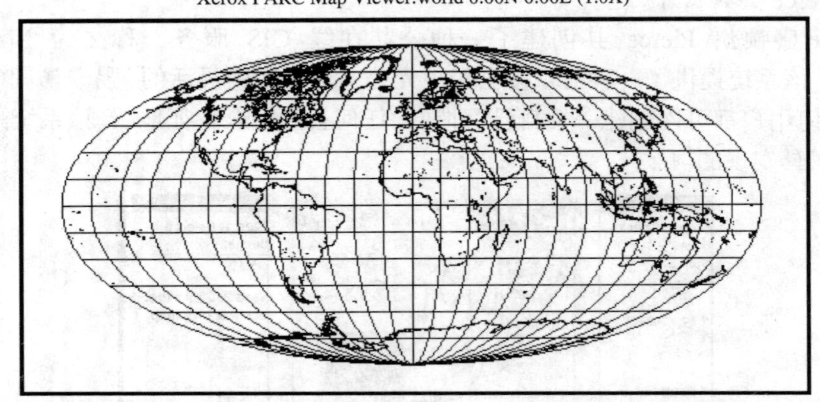

图 2-2 Xerox PARC 世界地图阅读器是第一个在线制图阅读系统(Palo Alto 研究中心)

在某些情况，地图是按需制作的。比较简单的方法是要以各种设定的分辨率扫描地图提供*.gif 图像。举例来说，如果一幅印刷出版的街道目录图由 100 张地图组成，把每张地图分成 4×4 份子地图，需要 1 600 个*.gif 图像。要以三种分辨率(×1, ×2, ×4)进行扫描，将需要 2 100 幅*.gif 影像(100+2×2×100+4×4×100=2 100)。假设每个*.gif 图像数据量不多于 10kB，那么组合储存也将超过 20MB。现在任何服务器都能够很容易处理这些数据量。这样，制作每张地图就减少了数据处理过程。在这样的系统中主要问题是如何建立一个有效地找到所需要地图的索引系统。

2.3.2.3 CSU's MAP MAKER

对地图用户而言，另一个关键问题是在地图上显示自己的数据。Charles Sturt 大学研发的 MAP MAKER 服务 (Steinke 等，1996)，满足了人们在自己的站点制作达到出版质量要求的地图的需要。该系统 1993 年第一次试用，1995 年后公开使用，其网址为：http://life.csu.edu.au/cgi-bin/gis/map/。

基本图层由 GMT 生成，GMT 是一个自由软件包，是基本制图工具(Generic Mapping Tools)的缩写(Wessel 和 Smith，1991，1995)。

MAP MAKER 或许是第一个允许用户在定制设计地图上添加自己数据的在线服务系统(见图 2-3)。用户进入一个对话框，添加自己希望添加的数据坐标集和标识。MAP MAKER 也支持对主要城市的有限检索。

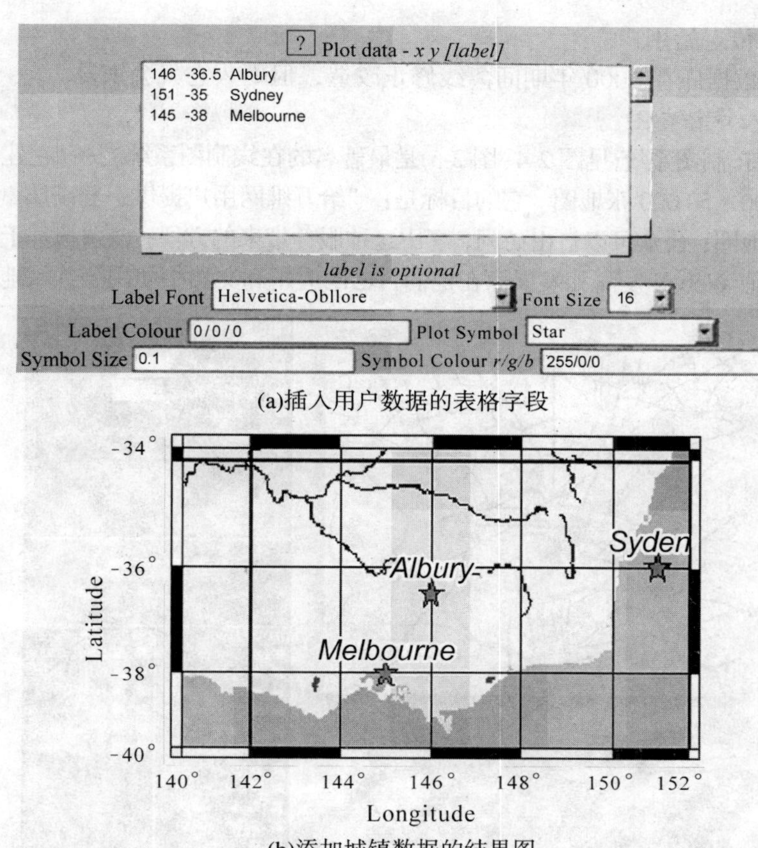

(a)插入用户数据的表格字段

(b)添加城镇数据的结果图

图 2-3 应用 CSU's MAP MAKER 添加用户数据到一幅地图

2.3.3 其他的 GIS 功能

空间查询和简单的地图制作是在线 GIS 的最普通功能。然而，GIS 也可应用于其他更广泛的操作，或许最普通的是空间模拟和空间数据分析。可事实上，在线服务还很少提供这种功能。举例来说，已经试验了卫星影像的在线处理，但是应用并不广泛，因为这需要大量的计算。

下面的例子给出了在线 GIS 交互功能的思想。

2.3.3.1 环境澳洲物种制图系统

环境澳洲物种制图系统(ERIN，1995)提供了查询物种分布数据库和在地图上进行物种规划的服务。更进一步的是，该服务也产生预测单个物种潜在地理分布的规划模型。为达到此目的 (使用 Bioclim 运算法则)，服务器实时执行如下工作步骤(已简化)：

(1)查询数据库检索物种位置的记录。

(2)对每个物种位置，内插气候变量值。

(3)计算所有物种记录的气候影响范围。

(4)在特定的分辨率下，识别景观中所有的落在气候影响范围内的其他位置。

(5)在基础图上绘制识别出的位置。

(6)将地图传送给用户。

环境澳洲数据库在2000年期间离线修正改造，但不久它就会恢复。

2.3.3.2 美国人口普查图

美国TIGER制图系统(见图2-4、图2-5)是最著名的在线制图系统之一。它建于1994年，每天产生45 000 ~ 50 000张地图。它的目标是："给万维网用户提供一套高质量的、全国尺度的街道等级地图；公众可以自由访问，享用这种服务带来的方便；该系统基于一种开放的结构，允许其他Web开发商和发展商在他们自己的应用和文档中使用公共域地图。"

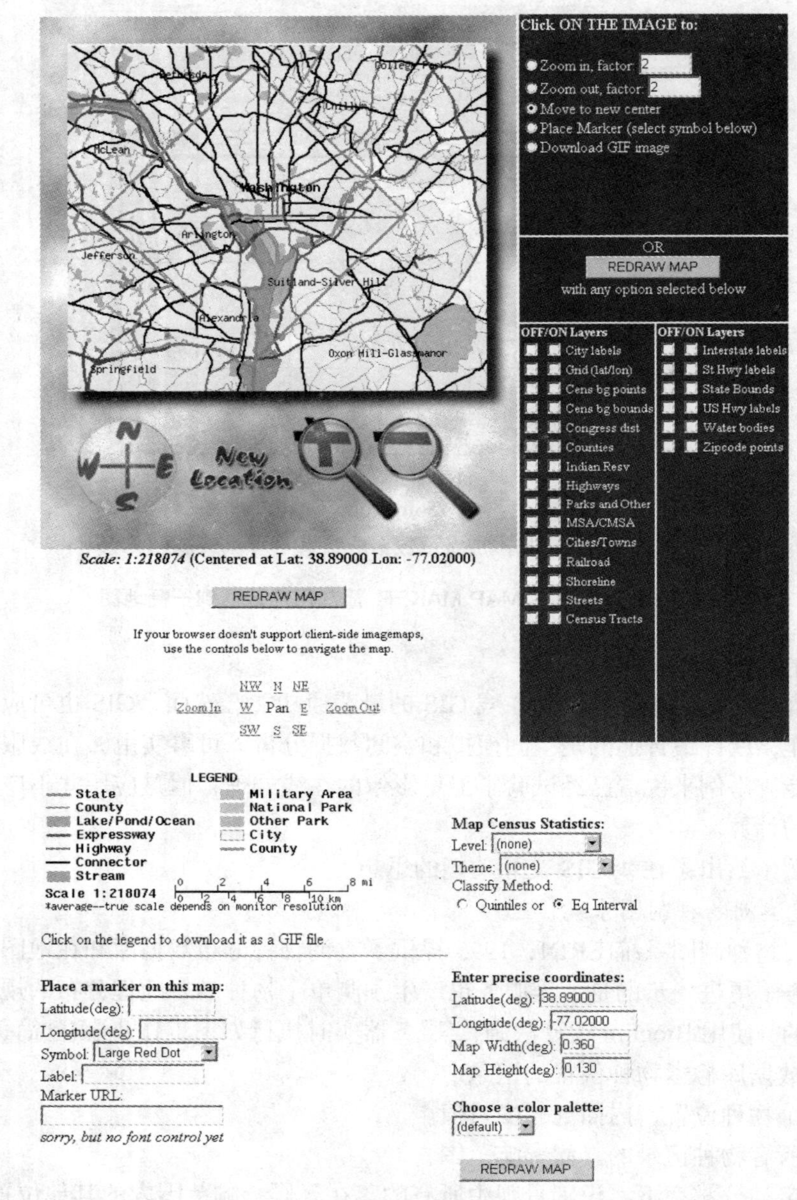

图2-4 美国统计局提供的TIGER制图系统在线用户界面

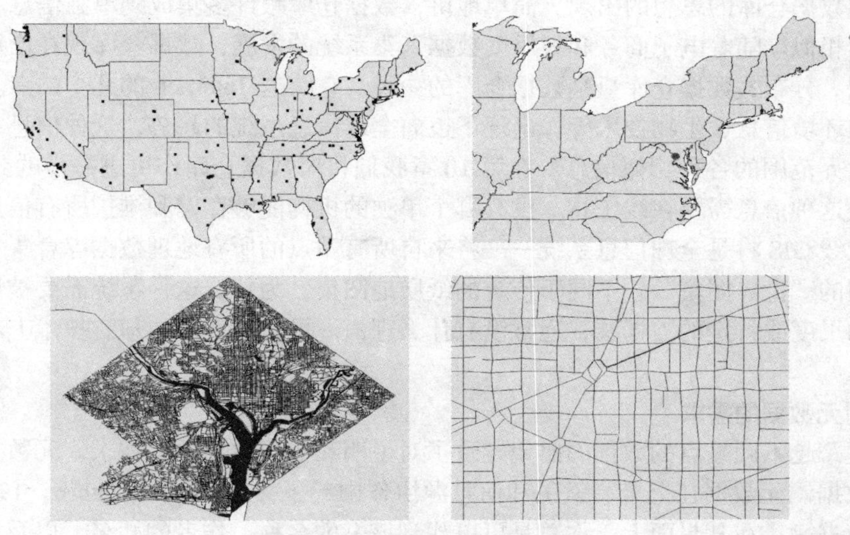

图 2-5　TIGER 制图系统为用户提供缩放功能

未来增加的计划包括全美街道等级详图和更丰富的制图设计特征。规划的技术革新包括对图像的开放接口(通过地图生成脚本语言实现)，这允许用户要求直接将地图包括在其他的文档中，并进行坐标反演，用户可以从地图上发送一组像素坐标(x，y)，获得关于真实世界的坐标。

一些新技术也拓展了新的应用领域，比如全球定位系统(GPS)用于汽车导航，用无线设备(如移动电话等)访问因特网的用户也在增长。因此，我们将会看到全新的协作应用(见第 11 章)。

2.4　空间数据采集工程

2.4.1　在线数据仓库的增长

前面我们已经看到，虚拟旅行家是如何把多源数据联系在一起的。然而，为在线资源构建一体化保护的问题也十分突出。在许多其他的情形中，在线数据源的组织和发展需要更系统化、更和谐的方法。

一个例子是处理相关主题的各个站点之间的合作，这一过程导致了处理更广泛主题的信息网络的形成(Green，1995)。这个过程仍在继续，并已经引起了试图跨站点的协作的技术革新。第一个优先域是发展索引信息的方法，这一目标已经导致了大量的索引和生产标准，如 XML、CORBA 和其他问题。这些我们将在后面的章节加以讨论。

同时，也发展了多种软件来增强跨站点的检索和信息共享。较有名的是 Web 蚂蚁(Crawler)，它是一种自动软件，可搜索所有 Web 记录。许多 Internet 搜索引擎已经使用了这种软件。后来的发展已经包括协作，因而一个简单的查询在许多不同的站点分散搜索，然后将搜索的结果反馈给用户。

可是，最终的需要不是发展返回联系数据索引的系统，而是数据本身。也就是说，从许多不同的站点提取数据并将其综合成一个单独的信息集交付给用户。这种需要引发了分布式数据仓库的思想的出现。简单地讲，数据仓库跟许多集成到单独信息系统的各种数据库相似。随着电子商务和大尺度数据采集系统的发展，数据仓库现在已得到了广泛的应用。分布式数据仓库只是数据仓库的一种，它跨越 Internet 的几个站点。在有些领域，如环境信息、生物技术等，出现了迈向全球信息系统的趋势，这种信息系统综合集成了世界范围的各种相似信息。在第 10 章我们将对数据仓库作更进一步的分析。

正是这种信息需要在线 GIS。没有哪个单独的机构能够存储和维护所有信息，或许最终的在线 GIS 将是全球信息系统——将来自所有站点的所有地理数据综合集成为一个惟一通用的“世界图集”。不同于传统的纸质地图集，为什么这种系统需要被局限于一个特定的尺度或特定的数据层，通常没有什么理由。可是事实上，却有技术上和实践上的考虑。

2.4.2 对元数据的需求

整理跨越不同站点的数据的愿望导致了对说明和标识数据源的需求。元数据是关于数据的数据。元数据在记录、索引和信息源协作中起了关键的作用(Cathro，1997)。

任何书籍，在其封面上，你总是可以找到该书的名称、作者的姓名，以及出版商的名称。这种信息就是元数据。在里面的版权页上，将找到更多的元数据比如版权日、国际标准书号(ISBN)和出版社的地址等等。当你正在读该书的时候，这些元数据并不怎么重要。但是如果你想在一个偌大的图书馆里，在成千上万册图书中找到这本书，就必须依靠元数据来查找了。在图书馆里可能发生的最糟糕的事情之一，就是把书放回时会放错地方。如果放错地方，花费很多时间，甚至找遍整个书架，都很难找到它。

找一本书是这样，对在线数据更是如此。元数据对于从在线数据源存储、索引和获取信息项是十分关键的。在本书的第 8 章和第 9 章将会详细地讨论元数据的结构和应用。在其他的章节中，如第 6 章、第 7 章、第 10 章中我们将讨论元数据怎样有助于创建大尺度在线信息源的问题。

2.5 单机 GIS 和在线 GIS 之间的差别

对 GIS 而言，传统模型认为，GIS 由单个软件包加上数据，在单机上运行。可是这种模型不能满足许多 GIS 工程的现实需要，因为现在的工作都是多机构协作、多学科交叉、跨多平台、应用多种软件的，参加工作的人员很多，而且有庞大的潜在用户群。这些用户不仅需要地图，而且需要多媒体信息的输出。更重要的是，他们可能需要访问大量的最新应用的数据，而不是拷贝那些已经过时几个月甚至是几年的数据。因此，关键的问题是，怎样为广大 GIS 开发人员和用户提供广泛的、独立于设备的访问。

在线 GIS 和传统 GIS 的主要区别是用户界面、数据存储和处理的分离。在单机 GIS 中，所有这些要素通常都是放在一个单独的计算机上的；而在在线 GIS 中，这些要素通常是分布在几台或多台计算机上的。

GIS 要素的分离暴露出了一些自身特定的问题。问题之一就是站点之间数据的传输，这就要求尽可能地减少数据传输量；另一个问题是，追踪用户当前的操作也成为一个不小的问题。

下面我们会看到在在线环境中实施 GIS 操作的一些结果。

2.6 在线 GIS 实施

在线 GIS 的安装有若干方法，可能最行之有效的方法就是控制用户的界面。基本方法有两个：一个是使现有的单机 GIS 能在线运行，另一个是借助标准 Web 浏览器提供 GIS 功能。下面我们将依次检查每种情况，然后再分析一些需要考虑的问题。

2.6.1 使现有单机 GIS 在 Internet 上运行

在这种方法中，用户界面是一个单机 GIS，包括所有处理过程在内。这种系统只具备通过因特网访问文件的能力。因此，需要当地数据(如置于用户计算机中的数据)能与来自其他站点的数据综合。

这种方法有以下优点：

(1)它保持了传统系统的所有权限、速度和功能。

(2)用户可以继续使用他们业已熟悉的系统。

另外，它的缺点也是十分明显的：

(1)用户需要获得和安装专门的软件和硬件，而这些通常是很昂贵的。

(2)系统不具通用性，用户仅限于那些拥有必需软件的人。

2.6.2 GIS 在标准 Web 浏览中的功能

在这种方法中，GIS 以现有标准浏览器作为其用户界面。这通常意味着大部分数据的处理经由服务器转发，然后把结果传给客户端显示。

该方法的主要优点是：

(1)系统具有应用于任何 Web 用户的潜力(浏览器附件是需要的)。

(2)简单的 GIS 操作实施起来比使用整套系统快得多，也容易得多。

例如，如果你所想的只是为了用户能够对数据库进行地理查询(如什么地点隶属于所选区域等等)，那么只需要很少的地理操作。因此，系统管理员只需要安装软件去执行这些操作，余下的过程可以用标准 Web 工具来完成。

同时，该方法也有一些缺点：

(1)GIS 管理员需要发展 GIS 功能，很少有哪个系统具备了对必需的存储、处理、显示等功能进行预封装的能力。

(2)即使是一个标准的 GIS 软件，为了把输出结果转化为能在浏览器上显示的格式，仍然需要在软件和服务器之间开发界面。

(3)许多交互处理在单机上是非常轻松的事，但在分布式环境下要保持却十分困难。

除了以上两种极端的方法外，还有各种各样的混合转换。比如，一个在线 GIS 能在开始界面中使用用于常规搜索和选择功能的标准浏览器。尽管如此，一些专业地理操作和显示可能阻碍 GIS 显示软件包像一个“帮手”那样应用。在目前，一些 GIS 软件商已经发展了网络访问技术。

2.6.3 实施在线 GIS 问题

如果现有的 GIS 软件能用于因特网，那么因特网查询可以认为与传统 GIS 中读取文件相似，除了那些存储在因特网其他地方、而不是存储在用户硬盘上的文件之外，其他的任何操作就像任何单机 GIS 一样。因此，主要的问题是怎样通过 Internet 建立和传递查询，以及怎样处理这些应答，在第 5 章将讲到这一点。关于查询远程数据库的问题，既然这类 GIS 软件实质上应用于现有软件，对商业开发者来说就成为首要问题。

开发 GIS，用 Web 页面作为界面非常受关注。在作者动手写该书的时候，已经有很多在线 GIS 用 Web 页面作为其界面。在很大程度上，这种方法是由提供网络服务的站点发展的，很少有预封装的工具箱能用于建设在线 GIS。因此，对潜在的开发人员而言，清晰地理解这一点是很重要的。在以下的章节里，我们的目标之一是通过提供的一套用于简化小型在线 GIS 建设的工具，帮助具有潜力的服务开发者。

在以下的两章里,我们将介绍用 Web 作为主平台的 GIS 的实施的要点和方法。首先，我们应关注 GIS 在 Web 服务器上的处理过程；然后，我们将关注需要由 Web 客户端处理的过程。

在线 GIS 发展的基本实践问题是如何把它与其他服务相联系。用特殊的方式建立的系统将不会与其他在线 GIS 服务兼容。在发展 GIS 服务中，与其他站点相兼容的系统有许多优点。正如我们稍后(特别是第 7 章)看到的，标准和规范的制定正在推进系统之间的兼容，并为发展简化在线 GIS 服务的 Web 制图工具提供了基础。

或许与 HTTP1.0 相关的最基本问题源于那些无连接交互, Web 浏览器和超文本规范已经发展为一种无国界的接口而进入万维网体系。在 HTTP1.0 下，没有关联既作为客户端又作为服务器存储，每种数据处理都是独立的。在服务器端数据处理允许关联保存，但尚不普及。

当交互式 GIS 软件在专用的计算机上运行时，隐含着一种假设，即程序的当前状态是用户与其交互的直接结果。远程的 GIS 不能做到这一点。例如，在 HTTP 下，用户跟软件的每次交互都是一次新的搜索，从软件的起动状态开始。接口与数据处理的分离和与通讯无关联特性的综合，引发了提供维护连续性机制的需求。

在万维网服务中，采取以下方法保存上下关联。

第一个方法是在 Web 文件中嵌入隐含的状态变量。超文本标识语言提供了几种方法，状态变量的值能在服务器和客户端之间转换。HTML 格式界面包含对“隐藏字段”的储备，我们可以用这些记录用户的当前状态及其与程序交互的核心部分。实际上，作为每次交互的一部分，服务器建立了一个脚本去重建当前位置，将其嵌入到文件中返回到用户。这些信息不是简单的日志文件，如以前的缩放操作就不写入日志文件中。

第二个方法是“cookies”的应用(见本书 4.2.4 节)。在其他事物中，当与服务器重新建立连接时，“cookies”提供一种标识用户的方法。例如用户的优先权可以从话路到话路进行存储，表现出可持续性。

第三个方法是缓存。如创建一幅特定的地图，可能需要一系列的操作，重复每一步是十分烦琐和耗时的。当跟专用系统交互时，我们通过简约一系列步骤来避开这个问题。这样做，对用户而言，既像二进制数据那样隐含，又像置于用户名下的记录那样清晰。通过缓存，服务器不仅传输信息反馈给用户，而且将其存储在磁盘上一段时间。然后，如果需要的话，该文件用做下一个请求的起点。缓存需要关于每个文件性质的详细文档，包括查找表头文件和代码文件名等。缓存文件可用许多方法标识，包括用户标识和时间标识。我们更欣赏按内容进行标识，以避免不同用户的重复操作，从而对一般请求提供最快响应。

第3章　服务器端GIS操作

3.1　Web服务器

在本章以及下面章节中,我们讨论作为GIS中介的标准Web系统发展和应用中出现的有关问题。既然我们能够在广域的客户/服务器系统上(如X—Windows)运行GIS软件包(如Arc/Info),那么,我们可能要问这需要提供什么样的网络协议。正如将要在本章中看到的,基于Web的GIS并不是一点问题都没有。由于网络服务器的主要功能是传递Web页面,所以服务器端GIS操作必须由次级程序控制执行(经常是借助通用网关接口CGI,我们将在下文详细阐述)。网络协议HTTP用于传输静态文本和简单图像,对其他的更多应用尚需优化。

网络服务的优势在于低费用、软件独立和跨平台的应用能力。应用程序能将信息打包并依据HTTP协议传输,有些软件商正在用他们的GIS软件包做这方面的工作。另外的优点是与Web站点的紧密集成,这些信息和资源不仅包括空间信息,还将包括其他各种信息。

地理信息系统的本质特征是允许用户解释地理数据。也就是说,地理信息系统综合了各种数据处理过程的共同特点。这些操作包括空间数据库查询、地图制作、地学统计分析、空间模拟等。

在在线GIS中,上述过程在哪里解决呢?是在服务器端还是在客户端?Web服务器端远离用户并提供信息;在Web客户端,用户接收信息并加以显示。在本章中,我们将讨论用Web服务器执行GIS操作涉及到的问题和方法。

哪些GIS操作能够并且应该在服务器上运行?只有极少操作不能在服务器上运行,主要是交互性操作,如绘图,要求对用户的输入做出快速反应。有些操作如查询大型数据库必须在服务器上实施。然而,其他大多数操作是在服务器上运行还是在客户机上运行,并没有明确划分。

决定一个操作应在服务器还是在客户机上执行的两个最关键问题是:

(1)操作是否需要在服务器上占据太多资源?任何繁忙的Web服务器每分钟可以访问、发送几个文件,绘制一张地图仅需几秒钟。但如果需要不断地接收信息,发出处理请求,给服务器带来的负担将难以承受。

(2)传输到客户端的数据容量对网络载负是否太大?例如,连续地传输海量图像信息会降低对用户的响应速度。

3.1.1　HTTP协议

"超文本传输协议"(HTTP)是用于万维网的通信协议。它从浏览器到服务器传输超文本连接,并且允许请求文件和图像传回到浏览器。服务器或者HTTP后台程序(HTTPD)管理Web站点上客户、程序和数据之间的通信。

3.1.2 超媒体

万维网已经把 Internet 转换成一个超媒体传输的中介。超媒体是超文本和多媒体的缩写。超文本是指提供与其他资料连接的文本。多媒体是指综合了几种媒体要素的信息，例如文本、图像、声音和动画。超文本是用非线性方法组织的文本。通常认为，打印文本是线性的，即从头开始按顺序读完所有段落。相反，超文本可以提供阅读全部资料的多种不同途径。一般而言，我们可以认为超文本是由一系列连接的对象(文本或图像)组成的，这种连接定义了从一个文本对象到另一个文本对象的途径。

电子信息系统使得各不相同的多种媒体融合成一种形式，即所谓的多媒体。例如，胶片和磁带，现在已经成为多媒体出版物的音频和视频载体。在多媒体出版物中，总有一种或另一种形式的载体作为主体。传统出版物，文本是主体，图像只是对文字加以解释。一个例外是连环画，它通过一系列的卡通图片讲述故事主线，文本注释只是一种辅助手段。

对人类来说，视觉是主要的感官之一。因此，在多媒体中视觉元素(特别是视频和动画)往往起主导作用。然而，在在线出版物中，对窄带传输，网络传输速度仍然是主要考虑的问题。目前，全屏视频是不切实际的，除非所用网络连接非常快。

对具有多媒体播放能力的浏览器的引用是万维网的一大成功之处。然而，并非所有 Web 浏览器都支持音频和视频元素。例如，播放 MPEG 视频文件需要有 mpegplay 播放程序，还要音频播放软件 showaudio。每种信息要求有相应的软件来设计、编辑素材。

在该章中我们用到一些标记格式，如用尖括号<地图>来标记开始，结束标记加一“/”即</地图>。关于 HTML 和 XML 标记的语法和结构将在第 5 章讨论。

3.1.3 服务器软件

Web 服务器有很多种版本的软件。最广泛应用的是 Apache 服务器，它是一个免费程序，适用于所有 Unix 操作系统的版本。然而，多数主要软件公司也都设计了服务器软件。

要对服务器软件及其相关问题作一个全面介绍不是一件容易的事，况且还涉及到软件选择、安装和维护的问题。在此，我们仅就 Web 管理员需要注意的主要问题做一说明。

安全是所有服务器最关心的问题，大多数软件包都采取了预防措施，设置认证权限(如用户名称和密码等)，限制对某些内容的访问。出于对商业操作的安全性的充分考虑，大多数服务器软件都提供加密和其他认证方法，减少对敏感信息非法访问的可能性。

就功能而言，许多服务器软件都提供标准服务。例如，初始化和运行外部程序(见第 4 章)，允许文件上传和终端分发。关于功能方面最重要的问题可能是服务器软件是为哪一版 HTTP 设计的，怎样轻而易举地获得升级和安装。

安装服务器时，注意两层目录结构的层次关系是十分重要的。HTTP 服务器所用的材料一般分为两层:

(1)文件层，包含直接传输给客户的所有文件。

(2)CGI 层(见下一部分)，包含信息处理过程中需要的所有文件和源数据。

上面的区分十分重要，因为这可以自由分离访问的资料。例如，从程序中分离文件和其他资源，这些通常有安全要求。在每个层之下，文件目录的组织需要非常认真。对任何信息内容，路径的名字构成 URL 的一部分，所以有逻辑名称是重要的。此外，它们应该反映用户进行的各种查询。许多 Web 管理员根据系统管理或其研究机构(公司)的内部组织来构造路径、组织信息，这是不合适的。例如，用户一般喜欢按照国家或地区查找旅游信息，而不是根据旅游公司或者旅馆连锁店的名字查询信息。

更重要的是，目录的逻辑名称一旦建立就不再改变，在一定意义上，用同义名提供一个逻辑层来回避这一问题是可能的。例如，在 Unix 中，可以完全独立于它们实际存储地点来给路径和文件分配逻辑名。例如，真实文件路径是：

c:/documents/internal-data/file023.dat

可能分配的更简单的逻辑路径是：

hotel-list.

3.1.4 实践问题

不只是在线 GIS，任何在线信息服务都存在许多共性的问题。

在服务器维护方面，三个重要的问题分别是系统更新、文件备份和服务器日志。分述如下。

系统更新由需要按规则时间间隔改变的文件和数据组成。举例来说，一个从另外的数据源获取的数据文件可能需要按规则时间间隔下载。这些更新可用一个合适的系统软件自动完成。在 Unix 操作系统中，自动更新的传统方法是通过设置时钟守护程序(设定相对于时间的自动行为的系统) 来运行必须的命令解释程序脚本完成的。

文件备份是服务器上数据的拷贝。其功能是要确保重要数据在硬件出现问题或出现其他故障时数据不致丢失。文件备份通常有规律地存储在磁带上。为安全起见(如避免火灾)，文件拷贝最好与站点分离储存。镜像数据为文件备份提供了另外一种形式。然而，依靠外部设备提供最基本的文件备份不是明智的选择。当服务器更新时，文件备份可以自动完成。任何忙碌的服务器每天都需要对文件进行备份，如果存储空间有限，备份将限于新的或修改了的文件的备份。然而，定期地进行文件和 CGI 的完全备份总是明智的。

服务器日志文件提供了关于系统应用情况的重要信息。访问日志列出了对系统的每次访问，记录了被访问文件或程序的名字，它也包括访问的时间和用户的地址。当试图评估应用效率和模式时，这一信息是很有用的。错误日志文件在识别信息服务的失误以及突破系统安全性的潜在尝试方面是很有用的。

3.2 服务器处理

在完全的意义上，Web 提供了一种说明 Web 服务器执行查询响应过程的方法，主要包括以下四类：

(1)允许用户以某种形式提交数据给服务器。

(2)上传文件给服务器。

(3)处理数据，获取需要对查询作出回答的信息。

(4)构建形式化文件及其部件。

通用网关接口(CGI)是联结 Web 服务器和运行在主机上的各种处理过程的桥梁(见图图 3-1)。通过 Web 访问 CGI 程序和通过 URL 访问常规 HTML 文件一样。放置 CGI 程序的惟一条件是它注册在 HTTPD 服务器内，放置在 cgi-bin 目录下面某处。这就是所谓的服务器知道是否返回该文件作为一个文档或作为 CGI 程序运行它。

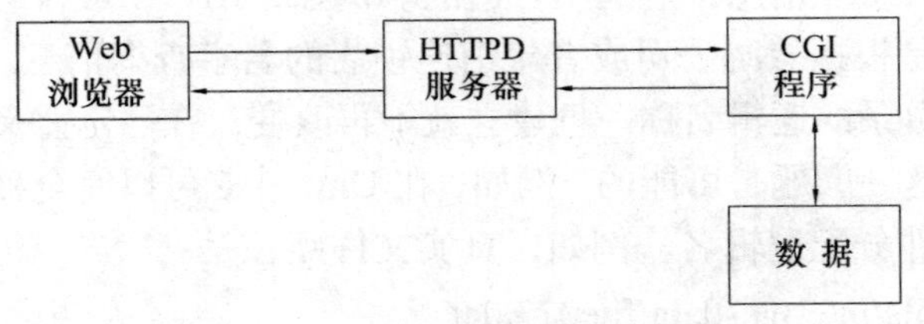

图 3-1 CGI 的作用

来自一个表或请求的数据通过用户端浏览器传送到 HTTPD 服务器，需注意：

(1)HTTPD 服务器发送信息，从浏览器经由 CGI 到合适的应用程序。

(2)程序处理输入，可能需要访问服务器上的特定数据文件，比如数据库。

(3)程序的书写包含以下各项标准的输出:一个 HTML 文档;或以一个指向 HTML 文档的指针。

(4)HTTPD 服务器把来自 CGI 处理的结果返回到客户端浏览器。

运行 CGI 的程序可以用任何形式的编程语言写成。最常用的一种为 PERL，其他的还有 C 语言和命令解释程序脚本。CGI 程序的基本结构由图 3-2 说明。从图 3-2 中可以看出，任何程序必须按照解码输入、进行必需的处理、编辑输出文档返回用户三个步骤进行。

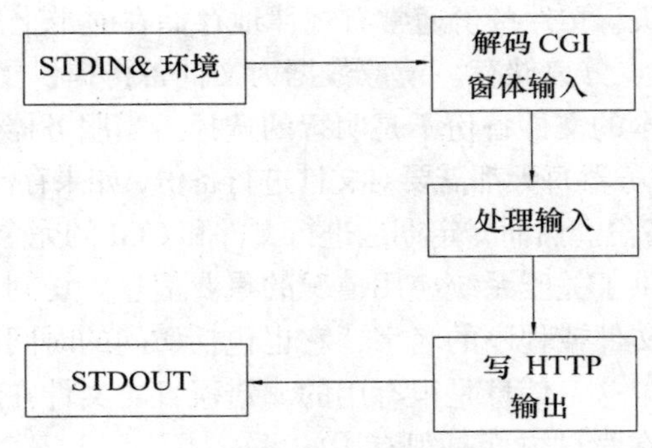

图 3-2 CGI 程序结构

对任何 CGI 程序员，PERL 是一种可选的语言。因为 PERL 具有强有力的字符串复制和规则表达匹配功能，这使得 PERL 既可以很好地适宜于来自 HTML 表的 CGI 输入，也可以产生动态 HTML 文本。

3.2.1 CGI 和表处理

3.2.1.1 CGI 输入

对每个输入变量，HTML 表以一种产生关键值对的形式实现。这些关键值对将以 GET 或 POST 两种方法之一传给 CGI 程序。需要注意的是，对这两种方法，数据都将被编码，以便挪出空间，移开来自数据流的其他各种字符。一个 CGI 程序在处理之前必须将数据解码。

3.2.1.2 GET

GET 方法将关键值对添加到 URL。一个问题标识将 URL 从参数中分离出来，这些参数通过 HTTPD 服务器提取或通过 QUERY_STRING 环境变量传给 CGI 程序。GET 查询的一般形式如下：

http://server-url/path? query-string

在这一个语法中，主要项如下：

server-url——接收输入字符串的服务器的地址；

path——服务器端软件的名字和位置；

query-string——送到服务器的数据。

下面是一些典型的例子：

http://www.cityofdunedin.com/city/?page=searchtools_street

http://www.geo.ed.ac.uk/scotgaz/scotland.imagemap?306，294

http://www.linze.govt.nz/cgi-bin/place?=p=13106

http://ukcc.uky.edu:80/~atlas/kyatlas?name=Main+&county=21011

GET 方法通常用于传输信息量相对较小的情况。当需要传输大量数据时，就要使用 POST 方法。

3.2.1.3 POST

在 POST 方法中，浏览器将数据打包作为关键值对序列传输给 Web 服务器。当服务器接收到数据，就把它作为标准的数据传给 CGI 程序。下面是一个以样本形式发送的典型数据串，描述为：

register=tourism&country=Canada&attraction==Lake%Louise&

description=&latdeg=51&latmin=26&longdeg= - 116&longmin=11&

region=Alberta&hotel=YES&meals=YES&park=YES&history=YES&

website=http://www.banfflakelouise.com/&

email=info@ banfflakelouise.com

在使用数据之前，应用程序需要启封该数据串，并且将其分割为必需的 name–value 对。

3.2.2 窗体和影像字段

Web 的一个重要特点是信息的访问是主动的。用户可以通过窗体将数据传送给 Web 服务器。窗体是包括数据键入字段的一种文档。这些字段由文本框和各种不同的其他“窗体小部件”组成(见表 3-1)。用户一般通过点击 SUBMIT 按钮提交窗体数据。服务器接收被提交的数据，并把响应送回用户(见图 3-2)。

HTML 窗体的基本结构如下：

```
<form processing_options>
        input fields mixed with text
<form>
```

这里“处理选项”描述用于传送数据的方法的属性(见上面的 GET 或 POST)，并且指出哪个程序将会接收和处理窗体数据，输入字段的类型见表 3-1。

表 3-1　HTML 窗体中的一些公共部件

字　段	HTML 源代码	显示结果
文本	<input name="field1" type="text"size="20" Value="Sample text">	Sample text
文本区	<textarea name="message" rows="2" cols="15"> </textarea>	Sample text
选取	<select name="country"> <option value="UK">Britain <option value="CAN">Canada <option value="USA">USA </select>	Britain Britain Canada USA
音频	Size<input type="radio" name="size"value="100">100 <input type="radio" name="size" value="1000">1000	size 100 1000
检测框	Capital city? <input type="checkbox" name="capital" value="TRUE">	Capital city?
隐含字段	<input type="hidden" name="scale" value="100">	Not visible
重置	<input type="reset" value="Clear fields">	Clear Fields
提交	<input type="submit" value="Submit entry">	Submit entry

3.2.2.1　举例

以下是一段 HTML 源程序代码，描述一个简单窗体，说明操作员在一个在线数据库中注册旅游吸引力的过程。出现在浏览器中的最终 Web 窗体如图 3-3 所示。

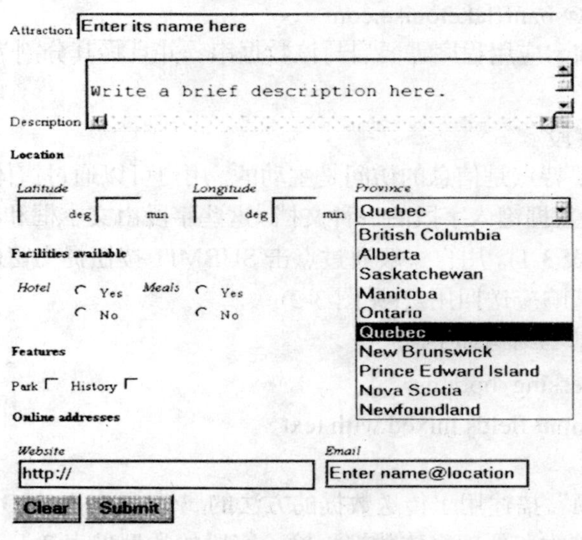

图 3-3　用 HTML 源代码实现的 WWW 页面形式举例

这段源代码包含两个给服务器提供技术数据的隐含字段。一个称之为“注册”，告诉服务器哪个注册使用。如果同样的软件处理几种不同的服务，那么这就是很实质性的问题。第二个隐含的字段告诉服务器注册点位于哪个国家。如果基础的数据库容纳了许多国家的信息，那么这个数据就是必需的，但是所用窗体是惟一的。

注意，排列字段清晰布局的表的语法的应用。Web 授权系统通常只是构建 HTML 文档和窗体，而全然没有顾及基础编码。然而，它可以使程序设计员学会直接复制 HTML 代码。举例来说，许多自动窗体创建器引导程序员到那些在浏览器上不能很好显示的特征。

```
<html>
<body>
<hl>Tourist site register </hl>
<form action=http://llife.csu.edu.au/cgi-bin/geo/demo.pl method="POST">
<input type="hidden" name="register" Value="tourism">
<input type="hidden" name="country" Value="Canada">
<p>Attraction
<input name="attraction" type="text"   size="50" Value="Enter its name here">

<p>Description
<textarea name="description" rows="2" cols="40">
Write a brief description here.
</ textarea>

<h4>Location</h4>
<table>
<tr><td><i>Latitude</i> <br>
    <input name="latdeg" type="text"   size="3">deg
    <input name="latmin" type="text"   size="3" >min
   
<td><i>Longitude</i> <br>
    <input name="longdeg" type="text"   size="3">deg
    <input name="longmin" type="text"   size="3">min

<td><i>Province</i> <br>
<select name="region">
<option value="BC">British Columbia
<option value="ALB">Alberta
<option value="SAS">Saskatchewan
<option value="MAN">Manitoba
<option value="ONT">Ontario
```

```
<option value="QUE">Quebec
<option value="NB">New Brunswick
<option value="PEI">Prince Edward Island
<option value="NS">NOVA Scotia
<option value="NFL">Newfoundland
</select>

</table>

<h4>Facilities available</h4>

<table>
<tr><td valign="top"><i>Hotel<i> <td>
<td><input type="radio" name="hotel" value="YES">Yes
<br><input type="radio" name="hotel" value="NO">NO
   
<td valign="top"><i>Meals</i>
<td><input type="radio" name="meals" value="YES">Yes
<br><input type="radio" name="meals" value="NO">No
</table>

<h4>Features</h4>

Park       <input type="checkbox" name="park" value="TRUE">
History    <input type=" checkbox" name="history" value=" TRUE">

<h4>Online addresses</h4>

<table>
<tr><td><i>Website</i> <br>
<input name="website" type="text" size="30" value="http://">

<td><i>Email</i> <br>
<input name="email" type="text" size="20" value="Enter name@location">
</table>
<input type="reset" value="Clear">
<input type="submit" value="Submit">

</form>
</body>
</html>
```

3.2.2.2　图像输入字段

HTML 提供在线窗体，具有把影像作为输入字段的能力。也就是说，如果用户用鼠标指向一幅图像而且点击鼠标按钮，那么鼠标指针的位置将会被传输作为图像坐标。这使得在一个窗体内提供允许用户交互地选择和提交地理位置的地图成为可能。

HTML 提供了为用户定义的部件，称之为影像字段。虽然在这里我们限制了影像的讨论，但图像可以潜在地说明一切。影像的典型入口如下：

```
<input  type="image" name="coord" src="world.gif ">
```

在这个例子中，字段变量的名称定义为“coord”，显示的影像文件名为“world.gif ”。所定义的影像字段具有如下重要特征：

(1)浏览器从这个字段中传送不是一个值，而是两个值。它们是来自影像的坐标 *x* 和 *y*，分别表示为“coord.x”和“coord.y”。

(2)这些坐标是影像坐标，而不是地理的坐标，需要编写程序将其转换成经纬度坐标。

(3)影像字段相当于执行 SUBMIT 按钮的功能即当用户点击影像的时候，窗体数据(包括图像坐标)立即被提交给服务器。

3.2.3　质量保证

Web 的分布式特性意味着成千上万的个人可能贡献数据给一个惟一的站点。这种前景激发了输入标准化的要求，以尽可能避免误差。在可能的误差容许范围之内应用的一种方法是为所有选择提供数值。

举例来说，不是请用户以文本形式打印“新南威尔士(New South Wales)”(如作为一个文本字段键入它)，而是提供其名称作为几个选项中的一项，应用下拉式菜单以我们期望的格式(如“NSW”)记录结果(见图 3-3)。这种方法避免了必须区分不同方式名称字段的不足。例如，New South Wales 可能写成“NSW”，也可以写成“N.S.W”。

3.2.4　处理脚本及其工具

服务器端的最基本的操作是要返回一个文档给用户。然而，许多服务器操作也需要包括一些表处理。举例来说，当用户提交一个数据表给服务器时，通常需要解释表中的数据，用数据做某些事情(如把它写到一个文件中，执行一次查询)，然后把结果写入文档中，返回给用户。处理过程中，可能包括把数据送到各类第三方程序，如数据库或制图软件包。现在一些商业化的软件包提供了安装和管理全部事务的能力。然而，这种处理本身经常应用处理脚本来管理。脚本是由系统解释的短程序，通常用脚本语言写成，例如 Perl、Python、Java(第 4 章)、Shell Script(Unix/linux)或 Visual Basic(windows)。

下面的短例是一个简单的 Perl 脚本，处理表数据提交给 Web 服务器。该代码由三部分构成。第一部分解码表数据(作为编码字符串传输)，数据被存储在名为 list 的矩阵中。这个矩阵是一种联合矩阵，用字段的名字来索引键入的值。对字段“country”(如我们取值为 Canada)，我们建立矩阵输入为：

```
list{country}=Canada
```

第二部分，在服务器端用“SGML”格式把数据写到一数据文件中(第 5 章)。第三部分，写一个简单的文档(回送提交的值)签收到用户。语法的详细解释已经超过我们所讨论的范围。对于免费共享软件语言 Perl 的详细介绍请参考 Schwartz(1993)。

```
#!usr/local/bin/perl
#    Simple form interpreter
#    Author: David G. Green, Charles Sturt University
#    Date:21/12/1994
#    Copyright 1994 David G. Green
#    Warning: This is a Prototype of limited functionality. Use at your own risk. No
             liability will be accepted for errors/inappropriate use.
#    Part1 - convert and store the form data
        # Create an associative list to store the data
%list=();
        # Read the form input string from standard input
$command_string =<STDIN>;
chop ($command_string);
        # Convert codes back to original format
        # ...pluses to spaces
$command_string =~ s/ \+ / /g;
        #...HEX to alphanumeric
$command_string=~ s / % (..) /pack("c", hex($l))/ge
        #now identify the terms in the input string
$no_of_terms=split(/&/, $command_string);
@word=@_;
        # separate and store field values, indexed by names
for ($ii=0;$ii<$no_of_terms; $ii++)
{       @xxx=split(/=/, $word[$ii]);
        $list{$xxx[0]}=$xxx[1];
}
#
#part2 - print the fields to a file in SGML format
$target_name = "formdata.sgl";
open(TARGET, ">>$target_name");
        # use the tag <record> as a record delimiter
print TARGET "<record>\n";
        # Cycle through all the fields
        #print format <filename>value</filename>
foreach $aaa (keys(%list))
{       print TARGET "<$aaa>$list{$aaa}<\/$aaa>\n";
}
close (TARGET);
```

```
print TARGET "<\/record>\n";
#
#part3 - send a reply to the user
    #Write output to standard output
    #the next line ensures that output is treated as HTML
print "content-type:text/html\n\n";
    #the following lines hardcode an HTML document
print "<HTML>\n<HEAD>\n Form data return\n<\/HEAD>\n<BODY>\n";
print "Hl>Form received.</Hl>\n<P>Here is the data you entered ...\n";
    # print the fields in the form FIELD = VALUE
foreach $aaa (keys(%list))
{       print "Field $aaa = $list{$aaa}\n";
}
print "<\/BODY><\/HTML>\n";
```

为了了解这些脚本如何在实际中使用，假如将其储存在名为 simple.pl 的可执行文件中，该文件放在服务器的 cgi-bin 目录下，地址是 mapmoney.com。这样，脚本将请求把下面的命令放在窗体中：

```
< from action = "http:// mapmoney.com/cgi-bin/simple.pl" method = "POST"
```

上述例子目的是要说明用于处理窗体的准确代码。然而，一般意义上，这种脚本写法不是好的实践。取而代之的是，通过从文件中读这些细节，脚本有更加广泛的应用。例如返回文档可以用文档模板替代细节建立。同样地，输出文件的名字可以以运行时间自变量写到脚本。为此，脚本需要替代该行：

```
$target_name = "formdata.sgl";
```

如用下面的形式:

```
$target_name=@ARGV;
```

请求脚本的 URL 使用“?”来指示运行自变量:

```
http://mapmoney.com/cgi-bin/simple.pl?formdata.sgl
```

这个例子仍然有问题。该例特别表明了脚本和存储文件精确名称的扩展。出于安全原因，避免展示太多细节是明智合理的选择。

3.3 在线地图制图

为了在 Web 站点上建立一幅简单的地图，需要采取下列各项步骤：

(1)用户需要选择或确定地图的细节，如地图边界和所用投影等。

(2)用户的浏览器(客户端)需要发送这些细节到服务器。

(3)服务器需要解释请求。

(4)服务器需要访问相关的地理数据。

(5)服务器需要建立一张地图并将其转换成某种图像格式(如 GIF 格式)。

(6)服务器需要建立一份 HTML 文档并嵌入上述图像中。

(7)服务需要返回上述文件和图像给客户。

(8)浏览器需要为用户显示文件和图像。

这一个过程可以用图 3-4 说明。图 3-4 所示在 Web 站点上构建地图的典型系统的信息流，反映从用户到服务器及其反馈机制。该模式解释如下：SLEEP 为脚本解译器，把 GIS 请求传递到制图软件，在此使用了 GMT 免费绘图工具软件包。在上述步骤中，只有第(2)、第(7)、第(8)步骤是标准的操作，其余的都需要加以定义。几乎在所有的情形中，第(1)步包括格式的使用，浏览器改换编码和进行传输。在第(3)步中，服务器传递格式数据到一个能够解释它的应用程序。此程序也必须能够管理以下的三个步骤：与地理数据的通信(第(4)步)、组织地图的构建(第(5)步)并创建文件返回给使用者(第(6)步)。

在上述例子中构建一张地图时，系统实际上生成的是一份插入的地图文本文件。地图本身以位图图像(基于像素的)格式返回给用户。Web 浏览器能够显示图像格式，目前通常使用的图像格式是 GIF 格式或 JPEG 格式。将矢量 GIS 数据转换成像素图像有严重的缺点，输出精度降低，不能够依比例决定，而且下载一幅像素图像时，即使是压缩的像素图像，也常常需要一个数量级比原始数据更大的带宽。目前的解决方案是引入可缩放比例尺的矢量图形(SVG)标准(第 4.3.5 节)。

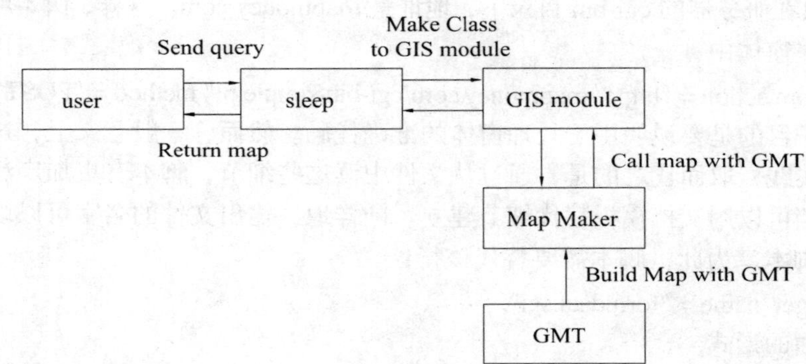

图 3-4　在 Web 站点上构建地图示意

3.4　高级脚本语言的使用

程序设计语言的发明简化了计算机编程的任务。高级语言是一种特定环境下简化编程的计算机语言。直接应用与系统有关的术语和概念，写一个执行特定任务的程序是非常容易的。程序设计语言提供了一种解决问题的方案，可以脱离问题域而应用。尤其是大多数在线服务的自动实现都是使用高级语言完成的，包括 Perl、Java、C++以及命令解释程序脚本语言等。

在许多计算软件包中，通过提供高级脚本语言简化处理步骤是十分常见的。其优点是用编程实现大多数运算比用通用语言更简洁。因为脚本语言通常是面向特定内容域，更容易学习和使用。例如利用 Perl 语言编写提取 Web 窗体的内容需要很多行程序，而用 Web 语言，整个程序则可以压缩到一个命令中实现。

高级语言在发展 Web 服务器端的操作中是合乎需求的。其优点是模块化、复用性和高效率（Green，1996，2000；Green 等，1998）。正如我们在后面的章节中将要看到的，高级语言包括 GIS 功能及操作。

多数传统GIS系统插入脚本语言使得处理过程自动化。在自动操作一个Web站点时，产生特定的脚本转换成通用函数。下面是一个简单的工作脚本示例。

```
SET BOUNDS 34.8S 140.1E 40.4S 145.2E
EXTRACT roads，topography，vegetation
PLOT roads
PLOT topography
PLOT vegetation
```

然后，我们用变量替代固定的数值，用一组角度链组表示。

```
SET BOUNDS <tlat> <tlong> <blat> <blong>
EXTRACT roads，topography，vegetation
PLOT roads
PLOT topography
PLOT vegetation
```

将通用化的脚本作为模板，可以适应于我们关心的任何问题域。如果用户提供了来自窗体的边界，那么通过应用 Perl 脚本，用新的值来替代模板中的变量，我们可以产生一个新的脚本。一个 Perl 脚本的简单示例如下。

```
#！/usr/bin/perl
# Build a simple script from a template
# The associative array markup contains
replacement values
getvarfromform;
filtertemplate;

sub filtertemplate {
        while ($sourceline=<STDIN>)
        {       chop($sourceline);
                $targetline=$sourceline;
         # Enter the input string into the template fields
                for   ($i=0; $i<$no_of_tags; $i++)
                {       $work = $tag[$i];
                        $targetline=~ s/$work/$formvar{$work}/gi;
                }
                print "$targetline\n";
        }
}
```

该脚本执行过滤器行为，其功能与文件处理机的合并运算类似。我们给变量提供数值，函数 getvarformform 获取这些值作为一个表变量（$formvar)。Perl 脚本像过滤器一样在模板中执行读操作，并打印出结果脚本。为运行这个脚本，我们运用如下命令：

```
cat templatefile | filterfile > outputscript
```

templatefile 是包含模板的文件，filterfile 是包含上述 Perl 代码的文件，outputscript 则是输出脚本。

虽然上述程序运行正常，但麻烦的是，它必须为每个新的应用重写 Perl 脚本。更好更有效的方法是延续该具有普遍意义的处理到包括 Perl 脚本本身，这一思想很快导致了通过高级语言执行网络计算概念的产生。

下面的输出代码实例说明了什么数据更像是应用上述脚本处理之后的结果。这里使用的格式是 XML 语言(见第 5 章)，带有诸如<COUNTRY>这样的标识，与窗体字段相对应。

```
<country>
<name>United State of America</name>
<info>http://www.usia.gov/usa/usa.htm/</info>
<www>http://vlib.Stanford.edu/Servers.html</www>
<government>http://www.fie.com/www/usa_gov.htm</government>
<chiefs>http://www.whitehouse.gov/WH/html/handbook.html
</chiefs>
<flag>http://www.woorldofflags.com/</flag>
<map>http://www.vtourist.com/webmap/na.htm</map>
<spdom>
        <bounding>
                <northbc>49</northbc>
                <southbc>25</southbc>
                <eastbc> - 68</eastbc>
                <westbc> - 125</westbc>
        </bounding>
</spdom>
<tourist>http://www.vtourist.com/webmap/na.htm</tourist>
<cities>http://city.net/countries/united_states/</cities>
<facts>http://www.odci.gov/cia/publications/factbook/us.html</facts>
<weather>http://awc-kc.noaa.gov/</weather>
<creator>David G.Green</creator>
<cid>na</cid>
<cdate>01-07-1998</cdate>
</country>
```

下列的简单发布脚本将上述的数据从 XML 语言格式(在文件 usa.xml 中)转换为 HTML 文件(存储在文件 usa.htm 中)。在这种情况下，它只是以适当的码替代了标识。这样一个脚本能很容易地为一个实际上不了解转换操作的用户所接受并订制。

```
Var <country>         </head><body bgcolor="#ffffff ">
……   definitions omitted ……
source usa.xml
target usa.htm
new all
sub
close all
```

3.5 实现地理查询

在线地理检索的一个简单的例子是计算在世界地图上选取的两点之间的大圆距离，如图 3-5 所示。

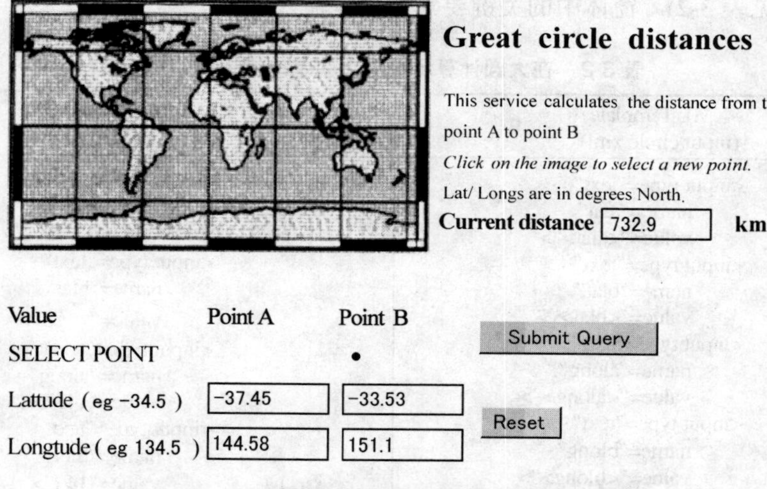

图 3-5 一个用于计算大圆距离的简单的窗体界面

为调用该例，URL 寻址完成该服务的解释程序(这里为 mapscript)。该解释程序连接一系列执行相关 GIS 功能的函数。为说明问题，把使用的脚本的名字传递给解释程序(在 circle.0 文件里)。完整的调用过程为：

http://life.csu.edu.au/cgi-bin/gis/demos/mapscript?circle.0

整个处理过程需要两个发布脚本。上述脚本(mapscript)提供了进入服务的入口(见下面的程序段)，它定义了两个相关点的初始位置。

```
<input type="image" name="coord" src="world.gif ">
source circle.xml          (define the template file)
target STDOUT              (send results to standard output)
var alat - 34.5            (initial latitude of point A)
var along 147              (initial longitude of point A)
var blat - 33              (initial latitude of point B)
var blong                  (initial longitude of point B)
```

```
radius 6306          (Earth's radius in kilometers)
form                 (extract fields from the form)
circle               (calculate the distance)
sub                  (place new values in the template)
```

第二个脚本(circle.1)处理来自窗体的并发调用。完全的文件列表如下：

(1)初始化脚本(circle.0)。

(2)处理脚本(circle.1)。

(3)文件模板(circle.xml)。实质上是图 3-5 中的窗体，用变量替代两个点的位置。

(4)使用地图。保存为静态 GIF 图像(world.gif)。

(5)解释程序(mapscript)。

显示在客户端浏览器上的 HTML 文件不是作为一个储存文件而存在。它在传送中由服务器产生(见表 3-2)。窗体中的关键要素是影像输入类型。

表 3-2　在大圆计算示例中更新表的模板的应用

XML Template (input circle.xml)	HTML Form (standard output)
<input type="text" name="alat" value="<alat>"> <input type="text" name="blat" value="<blat>"> <input type="text" name="along" value="<along>"> <input type="text" name="blong" value="<blong>">	<input type="text" name="alat" value=" − 34.5"> <input type="text" name="blat" value=" − 33"> <input type="text" name="along" value="147"> <input type="text" name="blong" value="149">

点击图像产生一对数值，称为 coord.x 和 coord.y，是在图像上用鼠标选取的点的坐标。

下面是用于大圆计算示例的 HTML 源程序代码。(i)为对窗体调用的处理脚本；(ii)为影像输入字段；(iii)为提供地球半径值的隐含字段；(iv)为最后四行，是由发布脚本处理的字段(见上述第一个脚本)。

```
<html>
<head>
<title>Great circle distance calculations</title>
</head>
<form>
action=http://life.csu.edu.au/cgi-bin/gis/calc?circle.1 method="post">     (i)
<table>
<tr><td><inputtype="image"name="coord"src="http://life.csu.edu.au/gis/demos/
world.gif ">                                                                 (ii)
<td><h2>Great circle distance</h2>
```

```
This service calculates the distance from the point A to point B
<br><i>click on the image to select a new point.</i>
<br><b>Current distance
<input type="text" name="circle" value="732.9" size="10">km
<input type="hidden" name="radius" value="6366.19">
                                                              (iii)
</b>
</table>
<p>
<table border="1" cellpadding="1">
<tr><td><b>value</b> <td><b>point A</b>
<td><b>point B</b>
<td rowspan="2"><input type="submit">
<tr><td>SELECT POINT
<td><input type="radio" name="site" value="source" >
<td><input type="radio" name="site" value="target" checked>
<tr><td>Latitude (e.g. –34.5)
<td><input type="text" name="alat" value="–37.45" >
<td><input type="text" name="blat" value="–33.53" >
<td rowspan="2"><input type="reset">
<tr><td>Longitude (e.g. 134.5)
<td><input type="text" name="along" value="144.5" >
<td><input type="text" name="blong" value="151.1" >
</table>
</form>
</body></html>
```

上述示例是在线 GIS 发展商可能遇到的脚本的表述。大多数商业系统具有嵌入的脚本特征，正如我们上面已经说明的，简化了在线 GIS 的执行。技术的迅猛发展在服务器端的处理中得到体现。在今后的几年中，这些发展具有很大潜力，即将改变在线 GIS 的设计与实现。

通过 W3C 的改进，在线 GIS 服务正在发生一些变化。一种发展趋势是充分考虑实际需要，发展 SVG 标准(第 4 章)。矢量数据通常需要相对少的存储空间，更重要的是它只需要较小的带宽。虽然 Web 一开始就应用影像格式，但是矢量系统有独特优势。现在我们已经有用 XML 表达矢量操作的 Web 标准，这将使 CGI 脚本产生矢量图表。

对服务器端的操作，来自 W3C 的另一个主要发展是对 HTTP 协议的更新。安全机制越来越复杂，但是在服务器端应用的报道还不多。

另外一个重要的激发系列是由 Open GIS 组织发展的(Open GIS 2001)。建议应用地理标识语言(GML)，第 5 章将有详细的讨论。

第 4 章　客户端 GIS 操作

正如我们在第 2 章、第 3 章中所看到的，在线 GIS 和单机 GIS 的基本差异是用户界面同数据存储和处理的分离。提交每次操作、每次选择返回到服务器，这样速度很慢，用户往往等得不耐烦。因此，通常把交互送到客户机完成的任何步骤都是需要的。许多类型的操作可以在客户端执行。下面列出的一些操作具有代表性，但并不全面。

(1)地理对象的简单选取可以在客户端影像地图上实现。

(2)一些简单的功能,例如用 JavaScript 实现的数据输入有效性的初步检查。JavaScript 已作为 ECMA 脚本标准，内置到绝大多数的 Web 浏览器中。

(3)矢量图形不久即可轻松地应用，如 SVG(见第 4.3.5 节)。

(4)Java Applet 可用来实现很多交互式特性,包括：①随上下文决定的菜单；②高级地理选择(如橡皮圈)；③Java 有一套完全的图像处理类，能更有效率地进行客户端操作。

(5)辅助应用允许很多处理离线装到其他程序，这甚至包括一些 GIS 操作。其他的例子包括：下载表格作为电子数据表，调整图像到适宜的视窗范围。

上述大部分特征有助于实现 Online GIS。在本章中，我们将探究一些切实可行的方法。在很大程度上，我们将集中于如何使用标准的网络工具和设备。当然，商业 GIS 软件可以提供许多工具，从而大大拓展(而且简化)其应用范围。

4.1　影像地图

执行地理检索的首选对象是影像地图。影像地图是一种交互式影像。在一个简单的超文本连接中，点击一幅图像将获得一份文件。点击图像的位置不同，从影像地图上可提取不同类型的文件。

检索信息的一个非常有用的方法是将数据绘制成图表或地图来表明概念、位置及与其他事物的关系。影像地图的结构允许我们像超文本索引那样应用这些图表。源影像可以是一张地图，也完全可能是任何一种图像，例如一张图表。

例如，下面的图像可以作为澳大利亚各州和城市的一个简单的地理索引(图 4-1)。如

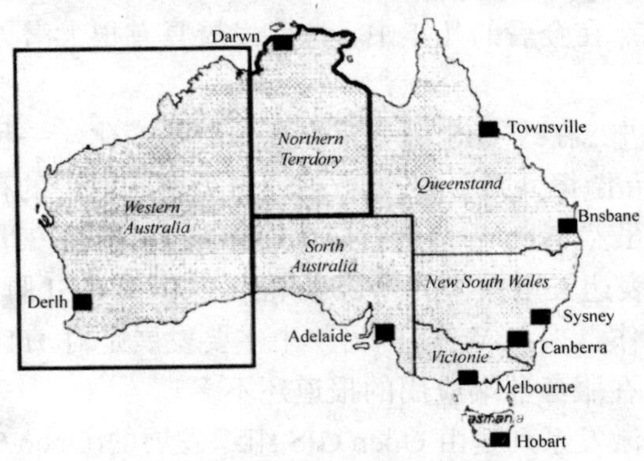

图 4-1　包含在文件 ausmap.gif 中的影像

图 4-1 所示，环绕澳大利亚西部的长方形框和北部地区的多边形边界表明了该例中讨论的影像图的区域。简单地说，我们用一组重叠的长方形来实现索引。但是，如果精度要求很高，那么就需要用更详细的多边形来表现州界。

4.1.1 影像地图的操作

影像地图需要以下三个要素：

(1)一幅图像(如 file.html)，以便显示地图。

(2)一个包含该幅图像、并把图像与地图相联系的 HTML 文件。这幅图像必须通过 ISMAP 语法才能引用。

(3)一张定义图像区域的图表，列出每一区域的相应行为。

在上面的例子中，图像是一张澳大利亚地图(GIF 格式的栅格图像)，相关的地图文件(aus.map)显示如下：

```
default /links/ozerror.html
rect /links/wa.html 0,90,219,300
poly /links/nt.html
218,114   218,248   327,248   328,133   324,128
315,123   311,124   304,116   299,115   295,110
304,101   302,96    303,91    310,89    315,78
308,75    294,79    287,75    276,75    267,69
264,69    261,78    240,79    231,88    231,94
227,94    223,105   225,110   225,114   218,112
```

第一行定义默认的行为——如果没有有效的区域被选中，返回缺省状态。其余行定义地图的区域和相应的操作。如在第一行中：

"rect"	选取的区域是长方形
"./links/wa.html"	定义选取区域时得到的文件名
"0,90,217,370"	定义了长方形的四个角位置

我们注意到，这个例子已被简化。对于一些应用如选取澳大利亚西部区域那样，长方形是合适的；但是，如果考虑精度要求，如澳大利亚北部，就需要用多边形来代替长方形，这样将会更准确地描绘国家边界。

访问影像地图的语法不同于普通的超文本。举例来说，使用上面的图像作为简单的超文本连接，我们将使用如下语法：

```
<IMG SRC="ausmap.gif ">
<A HREF="/links/ozweb.html">
```

但是定义影像地图时，我们则使用下面的 ISMAP 语法。属性"/cgi-bin/imagemap/ausmap"表示地图文件，而"ausmap.gif" 则是图像。

```
<A HREF="/cgi-bin/imagemap/ausmap">
<IMG SRC="ausmap.gif "ISMAP></A>
```

对于更详细的要求可以参考在线影像地图指南。

4.1.2 客户端影像地图

起初，影像地图只用于服务器端的处理。也就是说，对每个选取点，其坐标值都返回到服务器，然后由服务器来执行地图查询。然而，这种程式意味着影像地图不可为单机所使用。

在浏览器程序软件 Netscape(1995 年，版本 2)和后来引入的客户端影像图，浏览器本身具备了选择影像的功能(这项进步有许多优点)。

下面的世界地图(见图 4-2)便是一幅客户端影像图。如果你用鼠标点击澳大利亚，那么澳大利亚地图就被调出；如果你点击其他地方，就调出缺省文件。

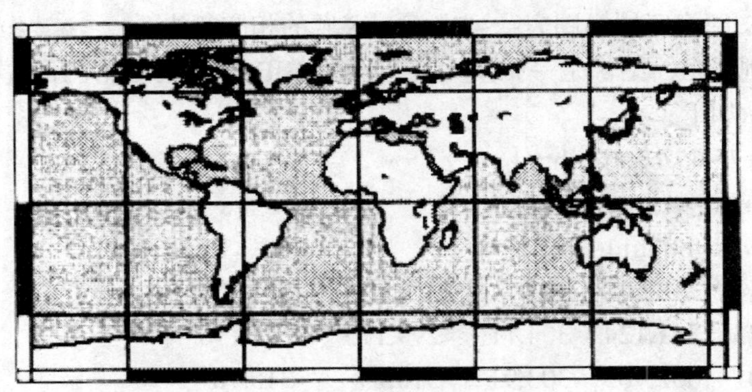

图 4-2　客户端索引世界影像图

上述的改进需要添加两行程序到 HTML 句法中。首先，参数 USEMAP 告诉让浏览器寻找指示位置的地图(通常在同一个文档中)；其次，<map>元素定义了一段地图定位的代码，具体代码如下：

```
<img src="world.gif"usemap="#xxx"ISMAP>
<map name="xxx">
<area coords="232,87,266,117"href="aus.htm">
<area coords="0,0,300,154"href="error.htm">
</map>
```

在上面的 HTML 代码段中，第一行调出影像并激活地图，其余几行定义地图坐标范围。

4.1.3 影像图生成

正如我们上面所看到的，通过列出区域边界在影像上的坐标可以定义兴趣区域，但这只是图像坐标而不是地理坐标，所以当我们创建一幅影像地图时，必须把边界坐标转换为影像坐标而不是地理坐标。有两种途径可以达到这个目的：如果已经知道地理坐标，那么就可以利用合理的转换公式转换；如果不知道，边界应该直接数字化。在大多数情况下，允许用户在影像窗口中直接读取坐标，也有一些共享程序允许用户直接建立地图文件。

4.2 客户端操作中 JavaScript 的应用

JavaScript 是一种脚本语言，为 Web 文件应用而设计。它开始是作为 Netscape 的专利，但是现在它跟 ECMA 一样已经变成一种 Web 标准。编码可以包含在一个 HTML 文件中以实现各种功能。主要的应用如下：

(1)改进用户界面。

(2)确认窗体数据优先提交。

(3)用于动画及其他的“铃声和振鸣”。

(4)允许内容交互和探索(例如模拟和游戏)。

注意，Java 和 JavaScript 虽然共用一些句法，但它们是根本不同的语言。查看这种差异的简单方法，是想像 JavaScript 清楚什么在网页上，什么能够复制它。另一方面，Java 在独立的窗口或 Web 页面内运行，通常不依赖系统运行平台。

下面我们列举两个有用的例子加以说明。

4.2.1 屏幕检查数据输入字段

大尺度数据系统的最大问题之一是要确保所有输入的数据是有效的并且采用标准的格式，最好是在数据输入时避免误差。Web 浏览器提供了两种减少输入误差的方法：

(1)控制窗体字段中的值。

(2)使用 JavaScript 功能检查数据输入字段。

第一种方法最简单。我们通过控制键入什么内容，保证以正确格式输入。为了理解这个问题，假定我们建立了一个简单的窗体，其中的每一个值以简单文本字段输入，问题是人们可以用不同的方式键入值。例如，名称"United states of America"可有多种写法，如：United states、USA、U.S.A.、US OF A。

因此，人们能够很容易地标识所有上述窗体作为相同事物的变量，并对计算机的搜索、索引以及许多其他自动功能提出了严肃的问题。为了解决这些问题，我们使用下拉式菜单、按钮及其他相似的数据字段，要求用户选择值而不是键入某个值。通过应用这种方法，我们可以确保系统以正确的方式键入用户关心的数值。例如，在上面的例子中，USA 是一种缩写方式。每次都用同样的方式键入数值。图 4-3 展示了这种简单的窗体。

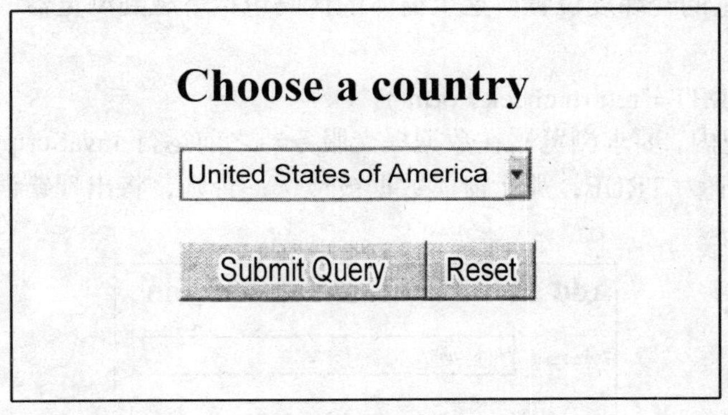

图 4-3 用 HTML 语言实现的 WWW 窗体

产生该窗体的 HTML 代码如下。注意，虽然国家名称完全写在屏幕上，但对变量“country”返回值全部是缩写。在源代码的 OPTIONS 字段中可以看出这一点。

```
<html><body>
<hl>Choose a country<hl>
<form action=http://life.csu.edu.au/cgi-bin/gis/opt1 method="POST">
<select name="country">
    <option value="USA">United states of America
    <option value="AUS">Australia
    <option value="UK">United Kingdom
</select>
<p><input type="submit"><input type="reset">
</form>
</body></html>
```

在数据输入窗体中尽可能广泛地采用上述方法是可取的。例如，键入日期，就可以提供一月中所有天的列表以及一年当中所有月的信息。总的来讲，采取这种方法通常可避免文本输入。

另外一种应用选择列表避免错误的方法是提供丰富的字段。例如：假定用户需要在数据输入窗体中以文本字段输入城市的名称和经纬度，那么包括相关地理单元的字段是很有用的，如国家、州或省等。这样可以进行冗余度检测并标记可能发生的错误。例如，在选取的地理单位内，城镇名可以通过地名词典检索。同样地，根据经纬度的测定以断定地名是否落在选取的单元中。

4.2.2 对 JavaScript 的需要

上述在数据输入期间提供选取的方法仅适用于有限定值域范围的字段。可是它不能避免数据输入时的所有问题。例如，用户或许选不到一个满足需求的值。不可避免地，在几乎所有的数据输入窗体中都需要有自由的文本。对于文本字段，在数据传送到服务器之前，可以使用 JavaScript 语言实现初步的屏幕输入。

图 4-4 和图 4-5 就是一个简单的数据输入窗体的例子。在这个例子中，用户可以输入城镇的名字和它的经纬度位置，这个窗体的代码包括下载到浏览器的 JavaScript 以及窗体。该字段是：

```
ONSUBMIT="return check Form()"
```

在 Form 标记内，要求浏览器在数据提交服务器之前运行 JavaScript 代码，如果函数 check Form 返回值为 TRUE，那么窗体数据被传送；否则，将出现错误检测详细信息的警告框(见图 4-5)。

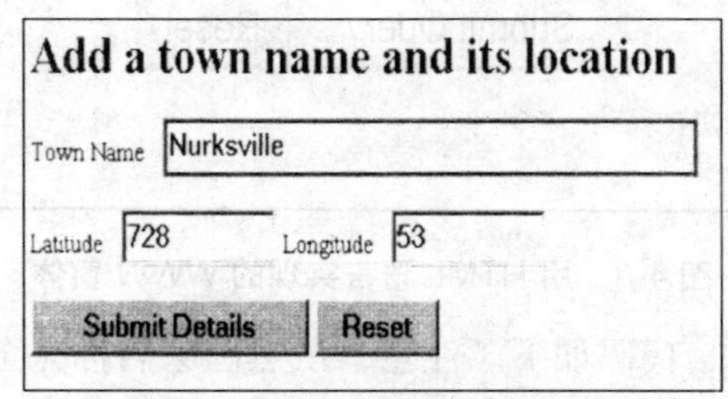

图 4-4　一个键入城市位置的简单窗体

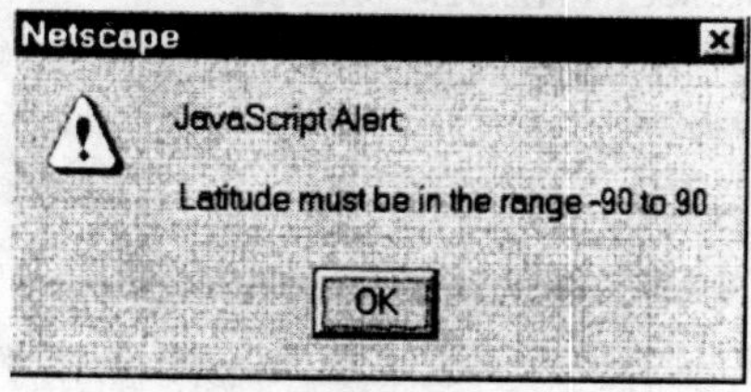

图 4-5 窗体输入错误时运行 JavaScript 代码出现警告

下面的程序段表明了 JavaScript 是怎样融合到产生该窗体的 HTML 代码中的。

```
<HTML>
<HEAD>
<SCRIPT LANGUAGE="JAVASCRIPT">
//--check the submitted form
function check Form()
{
    if  (isLatLong() && (isPlaceName()))
    {
        return true;
    }
    else
    {
        return false;
    }
}
        ……code omitted for isLatLong and isPlaceName……
<SCRIPT>
</head>
<body>
<FORM   ACTION="form_processing_url" METHOD="POST"NAME=
        "data_entry"
        ONSUBMIT="return check Form()">
<hl>Add a town name and its location</hl>
<INPUT TYPE=HIDDEN NAME="topic" VALUE="">
<p>Town Name < INPUT TYPE="text" NAME="town" size="40">
<p>Latitude < INPUT TYPE="text" NAME="latitude" size="10">
<p>Longitude < INPUT TYPE="text" NAME="longitude" size="10">

< INPUT TYPE="Submit" VALUE=" Submit Details">
```

```
< INPUT TYPE="Reset" VALUE=" Reset">

</FORM>
</BODY></HTML>
```

在该例中，我们应用了以下三种不同的检测方法。

(1)第一种方法是检测名称字段为非空。这是一种有用的方式，可以确保所需数据字段完全优先提交。

```
if   (<field_name>=="")   {<action>}
```

(2)第二种检测确保城镇名称是一种可以接受的窗体，为简化起见，该例中用的代码如下：

```
var ch = townstr.substring(i,i+1);
if ((ch<"a"||"z"<ch) && (ch !=""))
```

这里的定义是很严格的，确保名称中的每个特征既可以是字母也可以是空格。在实际应用中，更多样的特征也是允许的。

(3)最后一种检测是确保给出的经纬度值落在许可的范围之内。在这种情况下，我们应用正的纬度值表示北，负的纬度值代表南。

```
if (townlat = =""|| townlat<–90 || townlat>90)
```

执行上述检测的源代码包括在下面的 JavaScript 代码中：

```
//checks town field.
Function isPlaceName()
{
var townstr = document.data_entry.town.value.to Lower Case();
//Return false if field is blank.
if (townstr = " ")
{
     alert ("\nThe Town Name field is blank.")
     document.data_entry.town.select();
     document.data_entry.town.focus();
     return false;
}
//Return false if characters are not letters or spaces.
for (var i=0; i<townstr.lenth; i++)
{
     var ch = townstr.substring(i,i+1);
     if ((ch<"a" || "z" <ch) && (ch ! = " "))
     {
     alert ("\n Town names way contain only letters and spaces.");
     document.data_entry.town.select();
```

```
            document.data_entry.town.focus();
            return false;
            }
        }   return true;
    }
    //Check Lat &Long fields
    function is Lat Long ()
    {
            var townlat = document.data_entry.latitude.value;
            var townlong = document.data_entry.longtude.value;
    //Return false if latitude is outside the range –90,90,
    //or          if longitude is outside the range –180,180.
            if(townlat = =" " || townlat <–90 || townlat>90)
            {
                    alert ("\n latitude must be in the range –90 to 90");
                    return false;
            }
            if (townlong = = " " || townlong <–180 || townlong>180)
            {
                    alert ("\n longitude must be in the range –180 to 180");
                    return false;
            }
            return true;
    }
```

4.2.3 地理索引

JavaScript 也可用于许多其他目的，如我们可以增强影像图。在图 4-6 的例子中，我们用 JavaScript 功能取代对服务器的请求。任何时候鼠标点击影像图，这一操作产生了一个新文件，并插入合适的文本。下面的 JavaScript 代码提供了这一功能的实现方法。

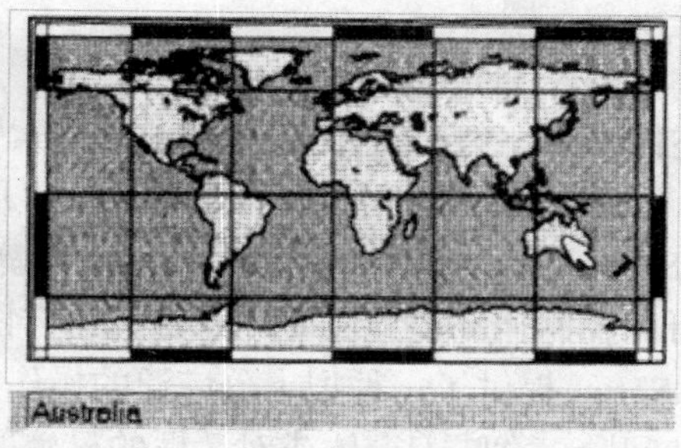

图 4-6　综合影像图和 JavaScript 产生一个简单的信息系统

```
<HTML>
<HEAD>
<SCRIPT LANGUAGE = " JAVASCRIPT">
//--return selected information—
function DataDisplay (map_option)
{
    msgWindow=window.open ("","displayWindow", menubar = no,scrollbar=no,
                status = no, width=200,height=100")
    msgWindow.document.write (
                "<HEAD><TITLE>Data display <\ /TITLE><\ /END>")
                if (map_option = = 1)
                {   msgWindow.document.write ("<hl>Australia</hl>")
                    msgWindow.document.write ("Data about Australia<br>")
                }
                if (map_option = = 99)
                {
                      msgWindow.document.write ("<hl>Try again!</hl>")
                }
}
</SCRIPT>
</head>
<body>
<hl>Information Map</hl>
<img src="world.gif " usemap="#xxx" ISMAP>
<map name ="xxx">
<area coords="232,87,266,117" href="JavaScript:DataDisplay(1)"
    onmouseover="self.status='Australia';return true"
    onmouseout="self.status=";return true">
</map>
<p>
</body></html>
```

上述代码的一个重要启示是，通过大量索引和其他操作可以很容易地从服务器转换到客户端。在 Web 站点上通常包含数据量高达几百兆的影像，完全下载它们是不切实际的。

JavaScript 可以进行复杂的地图查询。如澳大利亚在线地图集(见图 4-7) 应用 JavaScript 使用户可以在制作环境地图时任意选择组合图层和进行其他选择。

JavaScript 提供了一种把十分广泛的操作从服务器转换到浏览器的方法。如交互式对话连续性问题，意味着窗体或对话框的显示取决于用户进行的选择和输入。如果文件反复地从服务器下载，那将是十分缓慢的。

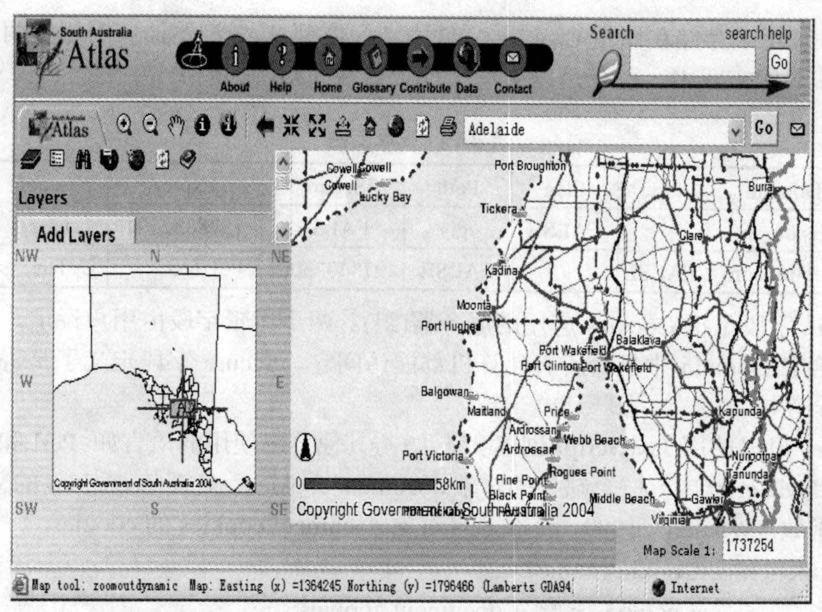

图 4-7 澳大利亚环境地图集服务器端界面

4.2.4 Cookies

“Cookies”是一个 HTTP 头，负责在服务器和用户端之间传送数据。Cookies 的主要功能是帮助服务器维持它和用户交互时的连续性。正如我们已经看到，HTTP 是无须记忆存储的。每次交互都独立于以前的交互,即使在一次交互对话期间，用户正浏览一个站点时也是如此。Cookies 的作用之一是通过为服务器提供一种保持对用户行为跟踪的手段而使交互对话更容易。

Cookies 的核心是变量的名称及其赋值。通常该变量提供用户标识,允许服务器从用户与服务器交互的历史记录中查询相关的细节。变量赋值可能是任何值。例如，在 GIS 交互上下文中，Cookies 能够解码用户当前进行的各类操作的细节，这类信息通常作为隐含窗体字段传送。Cookies 头的典型格式如下:

```
Content –type: text/html
Set –cookie: user=Nurk01; path=/gis;
        Expires sat, 13-apr-2002 12:15:00 GMT
```

表 4-1 表明了用于 Cookies 头的字段以及在该进程中其他字段的意义。为了保持从一次对话到另一次对话的连续性，Cookies 通常被写到一个 Cookies 文件中，存储在运行 Web 浏览器的计算机的硬盘上。

表 4-1 从 cookies.txt 文件登录示例

字段	意义
Name=value	变量名及其赋值(这里 user=Nurk01)
Path	Cookies 采用的路径 (这里是/gis)
Expires	Cookies 终止的有效时间 (这里用格林威治时间)

表 4-2 表示了存储在用户 Cookies 文件中、为典型 Web 浏览器所引用的两个登录的简单例子。具体实践中，登录是以文本文件配置在 TAB 限定格式中的。

表 4-2　登录范例

Domain	Flag	Path	Secure	Expiry	Variable	Value
gis.org.au	FALSE	/gis	FALSE	1578832501	user	Nurk01
www.cookieentral.com　FALSE	/	FALSE	978407300	foo	bar	

Domain 字段是指 Cookies 应用的服务器(组)。两个逻辑字段由用户设定。Flag 字段定义了在给定 Domain 中是否所有计算机都能访问它。Secure 字段定义了是否需要服务器提供安全连接。

Cookies 可以使用 JavaScript 创建和获取(与其他普遍使用的语言如 Perl 和 VBScript 一样)。在 JavaScript 中有一个缺省的对象 document.cookies，处理与 cookies 的交互。

下列函数（Whalen，1999）获取来自对象 document.cookies 的 cookies。

```
function getCookies(name) {
        var cookies = " " + document.cookies;
        var search = " " + name + "="
       var setStr = null;
       var offse = 0;
       var end = 0;
       if (cookies.length>0)   {
       offset = cookies.indexOf (search);
       if (offset ! = –1)      {
            offset + = search.length;
            end = cookies.indexOf (";", offset)
            if (end = = –1)   {
                  end = cookies.length;
            }
            setStr = unescape(cookies.substring(offset,end);
        }
     }
     return(setStr);
}
```

为了应用这个函数，用户将用相关的 cookies 变量名向 function 发出请求。如从表 4-2 中获取 cookies 中的"user"，一种可能的请求是：

```
gis_user_var = getCookies("user");
```

4.3　Java Applets 的应用

Java 是一种完全面向 Web 的程序语言。它由 SUN Microsystems 开发，满足用一种安全方法和机制将处理要素引入 HTML 页面的需要。它是面向对象的，包括大量的图形函数和其他函数。

像 JavaScript 一样，Java 语言也可用来实现客户端的功能。上面描述的许多 JavaScript 函数也可用 Java 实现。Java 的另外一个重要应用是它的绘图功能。下面我们将会看到 GIS 中基本交互式操作的两个示例，如在图像上框选区域、追踪多边形、绘制地图等操作用其他方法实现比较困难。

4.3.1 绘图

Java 的一个重要用途是通过将任务转嫁给用户来减少网络服务器的处理负荷。另外一个用途是减少需要通过网络传输的数据容量(特别是海量图像数据)。当在大比例尺上重复时，最大的处理负荷之一是绘制地图。当将一幅以影像的形式表达的地图在服务器端处理后，再从服务器端传送到用户端，存在严重的处理时间消耗和网络消耗问题。在许多情况下，少量数据的处理和传送是很快的，将原始数据连同将数据转换成地图的 Java 代码传给用户。

下面的一段 Java 代码是实现以图像形式绘制地图的简单例子。在该例中还在地图上绘出一个长方形用来标识选定的区域。正如我们后面将会看到的一样，SVG 提供了可供选择的方法。

```
Public void paint (Graphics g)
{
        g.drawImage (mapImage,0,0,mapWidth,mapHeight,this);
        width = Math.abs(topX – ,bottomX);
        height = Math.abs(topY – bottomY);
        upperX = Math.min(topX,bottomX);
        upperY = Math.min(topY,bottomY);
        g.drawRect(upperX, upperY, width, height);
}
```

4.3.2 选择区域

前面我们已经看到两种通过标准 Web 浏览器选择地理区域的方法。第一种是在一个窗体中用图像作为数据输入字段，这种方法允许用户键入影像坐标。第二种方法是在一个标准 HTML 文件中定义一幅影像地图，该影像地图允许用户从地图中选择一个事先定义的区域。

上述的选择方式忽略了以下几个重要的 GIS 操作：

(1)从原理上讲，窗体方法可用于选择各种对象(例如一条公路)；而在实际操作中，用户不返回服务器索引就无法确定对象是否被正确选定。因此，这是既耗时又笨拙的方法。

(2)选择任意的、用户定义的区域要求用户能够通过选定一系列点绘制多边形。

(3)鼠标单击即可满足定义单点的需要。然而，定义一串点，或是数字化一条线，例如道路、河流或区域，用户必须能够复选一系列的点并绘制成线。

(4)动态移动是一种交互式处理过程，用户选择一个对象并移动它。这是很有用的，如表示一辆汽车在道路上的位置变化。

(5)缩放操作和全屏显示包含了交互式地图重绘的过程。

在下面的章节中，我们将讲述实现这些功能的方法。

4.3.3 框选制图区域

制图区域选取是指选择区域的过程(选择的区域可以是长方形、圆形，也可以是其他一些规则的形状)。选择起点时按下鼠标，拖拉鼠标直到达到我们所要求的尺寸为止，从而实现框选(见图 4-8)。

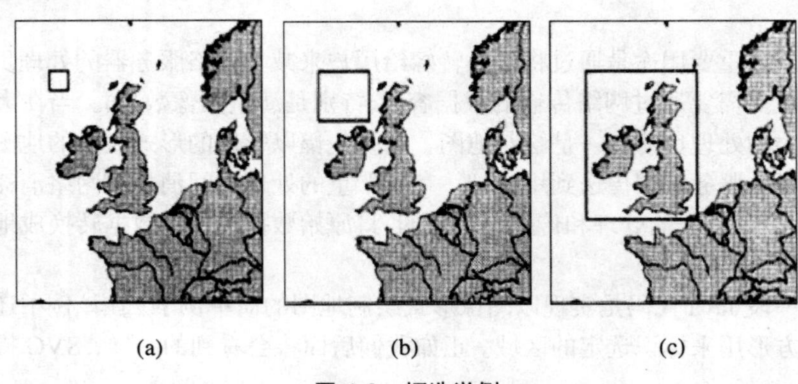

(a) (b) (c)

图 4-8 框选举例

实际应用中，框选是一次交互操作。从概念上讲，这一操作包括下面的步骤：鼠标定位，计算轮廓坐标，复制基本地图影像，在基础图上绘制框选影像，重复显示地图影像。

下面的 Java 源代码说明了上面例子中要实现的功能。该段程序包括三个鼠标事件，即按下鼠标左键、拖动鼠标、释放鼠标左键。

```
public void mousePressed (mouseEvent e)
{
    xPos = e.getX();
    yPos = e.getY();
    mousePosition = myMap.checkPosition(xPos,yPos);

    if (mousePosition)
    {
        setTopX(xPos);
        setTopY(yPos);
        tempUpperLong = myMap.calcLong(xPos);
        tempUpperLat = myMap.calcLat(yPos);
    }
    else
    {
        showStatus("Mouse is outside the map area");
    }
```

```
}
public void mouseReleased(mouseEvent e)
{
    xPos = e.getX();
    yPos = e.getY();
    if(rodentDrag == 1&& rodentRelease == 0)
    {
        setBottomX(e.getX());
        setBottomY(e.getY());
        mousePosition = myMap.checkPosition(xPos,yPos);
        if (mousePosition)
    {
        lowerLat = myMap.calcLat(yPos);
        lowerLong = myMap.calcLong(xPos);
        upperLong = tempUpperLong;
        upperLat = tempUpperLat;
        myMap.convertToPixels(upperLong,lowerLong,upperLat,lowerLat);
        zoom.setVisible(true);
        rodentRelease = 1;
        mousePosition = false;
    }
    else
    {
        countryInfo.setText("Outside map.Try again\n");
    }
    }
}
public void mouseDragged(MouseEvent e)
{
    if (mousePosition)
    {   setBottomX (e.getX());
        setBottomY (e.getY());
        rodentDrag = 1;
        repaint();
    }
    else
    {
        ahowStatus("Mouse is outside the map area");
```

```
        }
    }
```

4.3.4 绘制地图、图形和图表

最后，我们考察利用 Java 在客户端绘制整幅地图。在 GIS 中交互绘制多边形的能力是至关重要的，它用于绘制和选择地理对象。绘制地图和在客户端与地图交互的能力有以下几个潜在的优势：

(1)对于矢量地图，与下载一幅影像地图相比，它只需要下载定义该幅地图的更少的矢量数据，同时也减少了服务端的处理量。

(2)在客户端绘图，减少了服务器端所要求的处理量。

(3)它加速了诸如缩放、漫游等处理进程，使得客户端和服务器端之间的请求和响应转换速度加快。

随着万维网协会引入新的标准，发展 Java Applets 解决上述问题的需求可能会减少。在下一部分我们将会看到这些论述。

4.3.5 可伸缩矢量图形(SVG)

绘制地图和其他在线图表的方法很可能会随着 Web 绘制矢量图形新标准和语言的引入而发生显著改变。对在线图形，问题是 Web 浏览器通常只能以 GIF 或 JPEG 格式显示栅格影像。可是当打印屏幕图像时，像素图不能按比例重新缩放就成了很关键的问题，并且图像分辨率也无法跟原始图像取得一致，例如斜线经常出现“锯齿”的效应。另一问题是像素图像会生成非常大的数据文件，而这是影响在线信息传送速度的重要因素之一，对连接调制解调器的用户更是如此。考虑到大多数 GIS 是基于矢量数据的，所以发送像素图像成为一件极为麻烦的事。

1999 年 2 月，万维网协会发布了第一份关于 SVG 新标准的草案。下面的细节是从草案中节选的。关于 SVG 草案还只是一项推荐，在最终采用之前可能还会有许多改变。使用 XML 标识特征的例子在第 5 章中将有详细描述。

为启用 SVG，一个 HTML 文件应该包括如下文件头：

```
<!DOCTYPE svg PUBLIC "– //W3C//DTD SVG 2001102//EN"
HTTP://www.w3.org/TR/2000/CR-SVG-20001102/DTD/svg – 20001102.dtd>
```

这种语言包括描述矢量图的所有通用结构和特征的语法，并考虑图形和超媒体及其资源一体化的要求。这是很重要的，例如，在影像中创建影像地图兴趣点，或是传递坐标到 GIS 查询等。

由于用多边形定义区域在 GIS 中非常普遍，也许下面的一个例子是最适合于说明这一点的。在该例中，程序代码定义了一个简单的填充多边形，类似一幅简单的地图，如图 4-9 所示。map01 给出了一条封闭的线条范围，填充黑色。程序代码中关于画笔命令使用了如下缩写：

图 4-9　SVG 代码生成的一个填充多边形

M　moveto

L　lineto

Z　closepath

应用这些画笔命令，实现示例 map01 显示的 SVG 代码如下所述。

```
<?xml version = "1.0" standalone = "no"?>
<!DOCTYPE svg PUBLIC "– //W3C//DTD SVG 20001102//EN"
http://www.w3.org/TR/2000/CR-SVG-20001102/DTD/svg-20001102.dtd>
<svg width = "4cm" height = "4cm" viewBox = "0 0 400 400">
    <title>Example map01 – a closed path with a border.</title>
    <desc>A rectangular bounding bos</desc>
    <rect x="1" y="1" width="500" height="400" style="fill:none; stroke:black"/>
    <path
        d="M 200 100
        L 300 100
        L 450 300
        L 350 300
        L 300 200
        L 300 300
        L 100 300
        L 100 200
        L 200 200
        z"
      style = "fill:grey; stroke:black; stroke-width:3"/>
</svg>
```

尽管我们已经有意识地保持这个例子简单明了,但仍然很容易看出该方法是怎样用于绘制北美海岸线的。我们注意到把 SVG 代码与第 1 章所讨论的面向对象方法结合起来非常容易。对每个对象，这种方法包括以下几个步骤：

(1)把纬度坐标表列转换成 SVG 路径指令。

(2)通过写一个 SVG 文本指令打印对象的名称。

根据数据对象的描述制作一张完整地图是一项重复性的工作，关键是地图中表达对象的组织。在每一步，把每个对象转换成 SVG 表达。该过程听起来挺麻烦，但计算机处理起来速度是很快的。

因为 SVG 是基于 XML 的(见第 5 章)，所以有充足的空间把不同的地图要素捆绑起来包含在相应的 XML 中。我们可以在上述例子中对地图对象分层，用鼠标选定的范围表示整幅地图的边界,路径指向地图的每个特征。

矢量图形的简单性质意味着即使下载复杂的地图,与下载相同区域的影像数据相比，也只需要很少的数据量。

我们预期 SVG 的引入可能有几个方面的效应：

第一，对作为地图提交工具的 Java 代码的需要将会减少。SVG 浏览器可能包括前面描述的操作(如缩放和漫游)。因此，在许多例子中，一幅地图能作为 SVG 源直接从服务器下载和复制。

第二，用户软件包可能包括脚本指令和其他简化 SVG 源代码形成的高层特征。一个重要的步骤是建立把专用 GIS 格式文件成为 SVG 代码的转换器。许多相关的 SVG 工具已经投入使用。这些工具多为浏览 SVG 数据的程序和插件，其他的基本工具包括过滤器，主要是在 SVG 和几种 GIS 和 CAD/CAM 格式之间转换数据。同时，还包括把 SVG 转换成标准图像输出格式的转换器，比如 GIF、Postscript 和 PDF。

4.4 客户端 GIS 操作实例

4.4.1 一个交互式地理查询系统实例

举一个简单的 Java Applets 应用示例。我们已经实现了一个澳大利亚城镇在线查询系统 (http:// life.csu.edu.au/gi/???)。在这个系统中，用户下载一个用来显示澳大利亚城镇地图的程序(见图 4-10)。为了获得特定城镇的信息,用户用鼠标点击选择一个城镇(见图 4-10(a))。当这样选中一个城镇时，该城镇的详细资料将会显示在屏幕上。用户可以通过框选放大的方式进入该特定区域(见图 4-10(b))。

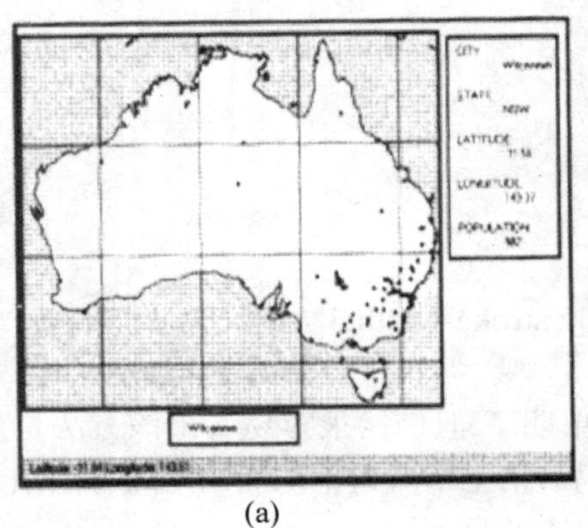

(a)

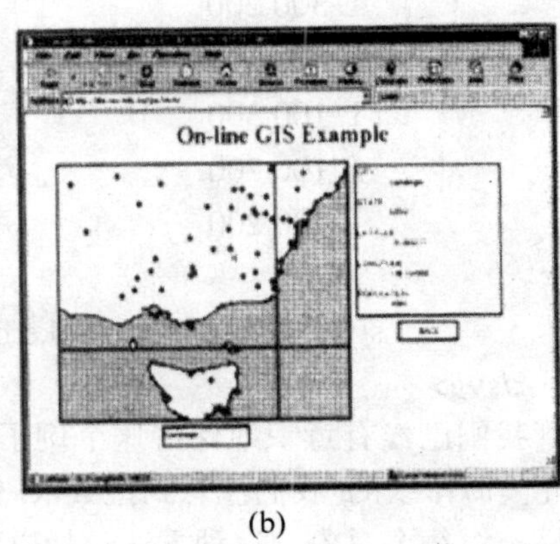

(b)

图 4-10 应用 Java 实现在线地理查询系统的示例

4.4.2 亚洲金融危机

Internetgis.com 公司已经发展了一个称为 ActiveMaps 的系统，它提供一个类库，把 GIS/mapping 功能添加到 Java 开发者设计的程序或应用软件中。该服务提供基于地理分布特征的亚洲金融危机信息。它结合一张有关每个国家经济特征的地图，用户界面由一幅地图组成，连同多种定制和查询工具。地图特征包括漫游、缩放、框选和一些添加数据的工具。

4.4.3 NGDC 古地理数据

美国国家地球物理数据中心为多种类型的古气候提供了一个巨大的公共资料库，如树木年轮记录和全球花粉数据库(NGDC 2000)。为辅助用户，NGDC 已经开发了一个名为 WebMapper 的 Java 程序，支持在世界数据中心寻找古气候学数据(见图 4-11)。该服务包括缩放、按名称或调查人进行位置选择或根据类型、年代范围、变化、调查者过滤站点。有兴趣的读者可以浏览 http://www.ngdc.noaa.gov/cgi-bin/paleo/web mapper.cgi。

上面两章我们介绍了适用于创建在线 GIS 的基本 Web 技术。也许我们更应强调我们在此已经介绍的技术，这是基于免费软件的，可以作为 Web 站点的完整组成部分，并不用担心商业 GIS 的启动费用和维护费用。

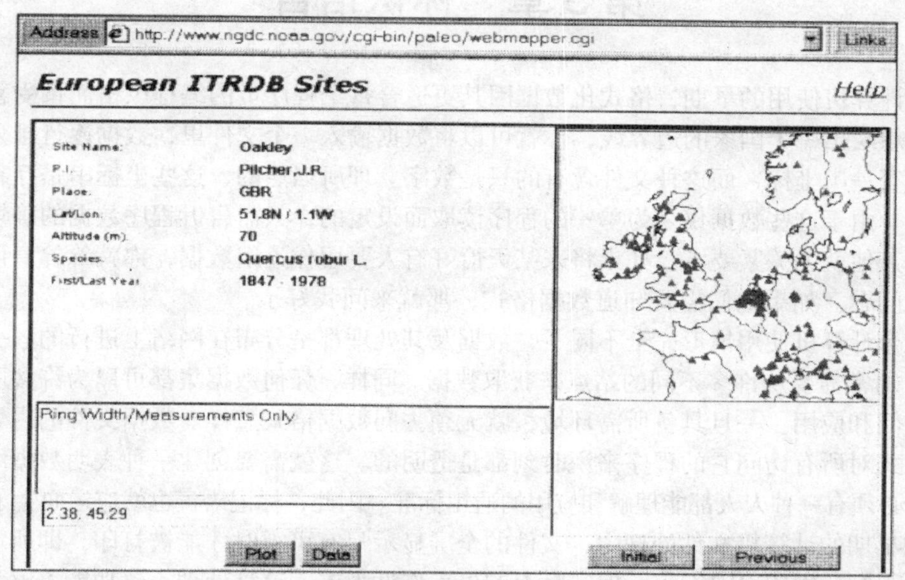

图 4-11　世界数据中心的用于古气候信息检索的 WebMapper 搜索界面

对最低要求的客户端操作，一个重要的兴趣领域是掌上电脑市场。该市场已经被分割。最近，几个商业 GIS 制造商介绍了掌上电脑的扩展，后面我们将会讨论这一发展(见第 11 章)。

接下来的几章我们将要讨论如何将个人在线 GIS 融入更全面的基于地理分布特征的信息系统问题。

第 5 章 标识语言

在计算机使用的早期，格式化数据因其更适合每个程序员的编程风格而备受喜爱。如果你想绘出一个国家的边界线，你就可以将数据输入一个文件里，数据逐行排列，每一行含有一串坐标，而这种文件含有的只是数字。理所当然的，这些坐标串是互相联系起来的。由于这些数据仅是为单一的程序读取而设定的，只需告诉程序数据的确切格式就行，其他就无关紧要了。如果将来某天恰好有人要用你这组数据，你就耸耸肩说“好的，没问题。如果他们需要知道数据格式，那就来问我好了。”

如今计算机使用情形完全不同了，数据及其处理都是分布在网络上进行的。一个在线 GIS 通常需要从许多不同的站点来获取数据。同样，任何数据集都可以为许多不同程序所访问和应用。一旦具备所需环境，就无须去问数据格式怎样。数据文件的内容、结构、格式对所有访问它的程序来说时刻都是透明的。这就需要创建一种表明数据结构的方式，必须有一种人人都能理解和应用的通用标准。因此，标记语言也就应运而生了。

在早期的计算机文件处理中，文件的全屏显示只有可视时才能被打印，即所谓“所见即所得”（WYSIWYG），但实际上的可操作性太差。这种处理不仅功能不够强大，而且处理器速度和内存也不能满足处理文件的需要，而计算机显示器几乎不能胜任这样的工作。那时，现在普遍使用的视窗系统还没有出现，况且除那些只有无数行单词和简易标点的简单文本外，还有一些有着不同格式和结构的文本（编号的段落、章节、索引等）。

于是，在文本中嵌入一种叫做标识符的特定符号的思想出现了。标识符的引入，并没有增加文本，而是控制顺序。这种系统早期像 Uinx 中的 nroff 和 troff、DEC 设备上的 runoff。如在 runoff 中，一行开头的一个点表示这行不是文本的一部分，而是包含对处理系统的指令。一旦文件用相关的指令或标识符写出，程序就会读取它，将指令付诸实施并生成可打印的格式。

计算机排版的一个重要突破发生在 20 世纪 70 年代末到 80 年代初，Denald Knuth（1984）创建了 TeX 语言。TeX 是为方便数学排版而设计的，并大大地提高了处理的精度。它引入了一系列表达和处理印刷排字的新概念和方法。TeX 虽然是一种标识语言，它有很强大的宏工具（例如，它有一个存储和复用命令序列的系统），但它所关注的主要是数据排版与显示。

TeX 相当复杂，用户通常只能依靠对宏和其他模板的收集开展工作。后续的 LaTex 语言出现于 1986 年左右（Lamport,1986），它应用预先写好的样式文件引入了一种合成宏框架，更便于非专业人员使用。LaTex 真正重要的贡献在于对结构的重视：一个 LaTex 文件由一系列嵌入的环境组成，互相交错；从文件环境向下，表明了文件的结构诸如节、目录、段落等，至今难觅比它更具明显优势的排版系统。

尽管 nroff 和 troff 通常是建立在 Unix 机器上的，但这些系统大部分都已经过时了。IBM 公司设计的地理标识语言（GML）后来演化成标准地理标识语言（SGML），这导致了 XML 的产生。虽然和 TeX 产生于同一时期，但 SGML 从一开始就强调结构，而不是显示形式。

SGML 技术保密了许多年，有人将其称为“亿万美元的秘密”（Ensign，1997）。它有一些大的客户群，其中包括美国军方。SGML 本身并不是一种标记语言，而是一种元数据语言，它支持精确的文本分类，并可以写入 DTDs（文档类型定义）。其价值体现在精确控制文本结构方面。军方发现，这种让人相当满意的系统拥有相当数量的文件规范并需要强大的文件控制技术。

随着万维网的建立，SGML 逐渐成为一种普通的工具，使用 SGML 就像给许多人写便条一样简单。当然，人们看到的不是 SGML，而是写入其中的 DTD：HTML——超文本标识语言。早期 Web 的代表类型与 HTML 紧密相随，但 Web 的发展速度出乎所有人的意料。在 HTML1.0 后很快出现了一些更复杂的版本，现行的第四版的功能至少是初期 HTML 的 4 倍。

现在，万维网几乎覆盖了所有可以想像得到的一切领域：从科学论文到广告，从色情作品到空间科学。1999 年国际 Web 站点数量为五千万，2000 年已超过两亿。同时，网络的这种近乎爆炸式的快速发展确实带来了很多问题。因为 Web 增长是自主的，所以不可避免地会出现无序，因而对于元数据的需求日益迫切。与这种需求相呼应，新的标识语言 XML 出现了。

从根本上讲，SGML 主要涉及文件结构。SGML 可以确保所有的文件都能以正确的顺序表达和显示，重要性是显而易见的。想像一下竞争投标文件，重要的事项如投递日期、价格结构和许多其他的细节都需要逐一表达，这是一次飞跃。

然而，由于 Web 的无序发展，另一方面的问题变得更为重要：标识符如何用于传递文件语义信息及其结构。假如我们想在万维网上搜索一道烹调鲈鱼的食谱，如果我们输入关键字“鲈鱼”，将得到一系列相关资料，如鲈鱼的习性、繁殖生长周期，甚至包括海洋捕捞的资料，当然也可以连接到相关站点找到烹调鲈鱼的方法。

```
<dish>jugged weever</dish>
```

“菜肴”一词在分类中是标记，下面我们将从语法方面作更详细的说明。现在如果我们将鲈鱼的研究局限在菜肴范围内的话，大部分无关的连接就可以剔除，我们可以做得更好。也许我们会点击到吃烤鲈鱼的野外生存训练故事。设想所有关于鲈鱼的食谱都嵌入这样一个附加标记：

```
<recipe>
        <dish>jugged weever</dish>
        …
</recipe>
```

现在我们在食谱范围内查找鲈鱼就可以轻而易举地找到我们想要的结果了。地理标识语言（GML）是 XML 的扩展。学习它时我们就会发现结合不同的地理规范是如此简单，就像查找食谱一样。XML 的优点在于不需要任何专业的东西，我们不需要精心设计数据库，任何一个特定的元数据库都可以。

但这样也会产生一些歧义。不同的人以不同方式使用标识符，比如碟子可以用来标记菜谱，也可以用来标记瓷器。因此，我们就产生了创建命名空间的想法，这样就可以对标识符的使用进行注册，我们将在 5.4 节加以介绍。SGML 在当今桌面出版的时代应用起来很复杂。XML 则克服了 SGML 的复杂性，它的自由的形式使人运用自如。XML 的应用自 1999 年以来发展迅猛，其应用的前景十分看好。

5.1 XML：结构思想

SGML 引发了 HTML 的面世，而只有固定标记格式的 HTML 的流行让 SGML 的开发部门意识到他们的工作只成功了一部分，因此绞尽脑汁发挥 SGML 的可扩展标记功能，从而衍生出了 XML。

XML 虽然来自 SGML，但却是一套有着严格体系的标记定义语言，其可扩展性也是 SGML 所不能比拟的。

HTML 可以方便地在网络上传输页面，但它却不是一种严密的数据交换方式，其传输的数据也无严格的定义，甚至连格式都很难统一，造成了网络数据交换的不便。这种不便尤其体现在结构化信息数据交换中。可以这样说，如果网络上只有单纯的 WWW 服务，用户只看看主页、聊聊天，那么 XML 是派不上用场的。XML 的用处在于大规模的跨平台信息交换。最初 XML 的目标是让各种结构的文件都作为统一的网络文件的一部分在网上传输，原打算用 HTML 实现，可是很不方便，于是 XML 就有了用武之地。XML 允许定义多种格式的数据，允许定义数量不限的标记来描述文档中的资料，允许嵌套的信息结构。这种直接处理 Web 数据的通用方法比起 HTML 只显示数据的方法更胜一筹，而且 XML 提供了几乎无限的可扩展空间。XML 本身拥有大量复杂的标记，可以用来描述各种复杂事物，而要使用 XML，只要拥有对应的客户端 XML 解释器和标记定义文件即可。

从概念上来看，XML 文件是由一个或多个元素序列组成的，这些元素可以相互嵌套。最终文件结构为文档树结构。每个元素有一个惟一的父元素，出现在文件结构的顶端，称为根（root）。元素可以有一个或多个属性，标识的文件可以十分复杂，所以通过实体的应用，制定了复杂的缩写机制。

现在我们更详细地来讨论这些概念及其相关的语法。

5.1.1 元素和属性

一个元素以其名称开始，如上面提到的<dish>；也用名称结束，但需要在名称前增加 “/”，如</dish>。元素的内容可以像一个单词或一个句子那么简单，如上述例子中的“dish”，也可以像一个完整文件那样复杂，如上面例子中的“recipe”，甚至可以是一本完整的烹调书。有时一个元素也可能不含内容（一个元素指示一个插入对象，如图形），这时，结束标识可以跟起始标识合为一体：

```
<image src = "mypic.jpeg"/>
```

在该例中，斜杠“/”为结束标识。

元素是有属性的，它以某种方式表明元素的性质。如食谱有食物类型和用途的属性，它看起来是这样的：

```
<recipe food type="game"usage="maincourse">
```

属性实质上是关键词或关键值对，出现在起始标记内。SGML 是所能想像到的最灵活和基本的标准之一。它由标识概念和原则组成，但它并不精确地规定怎样在源文件表现这些标识概念和原则。

现在，在 SGML 中，元素预先在 DTD 中定义。DTD 专指元素排列的顺序，说明什么元素可以嵌入到其他元素中。在 SGML 中不含有 DTD 文件，但是必须遵守简单的规则。最重要的规则是元素不能交叉。换句话说，每一个元素必须完全在根元素下完成（见表 5-1）。

表 5-1　元素的正确嵌套

正确	错误
<recipe> <dish> recipe text </dish> </recipe>	<recipe> <dish> recipe text </recipe> </dish>

5.1.2　名称的含义

SGML 十分准确地定义了每个名称中可以包含的内容。其句法是十分严格的。如名称限制在 8 个字符以内。XML 则比 SGML 更灵活。带有限标点的字母和字符的任意组合是可以接受的。

5.1.3　实体

在用标准 ASCⅡ码写成的文档里，我们偶尔会遇到一些用非英语词汇写成的特征。它们可能是完全不同的发音、完全不同的字母。另一种带来困难的情况是那些特殊的符号，例如非分隔符空格等。我们用特征实体来描述这些情况，格式很简单，实体以“&”符号开始，接着是特征字符串，最后以“；”号结束。因此，非分隔符空格的特征实体为 。

5.1.4　XML 语法规则

要编写一个规范的 XML 文档，必须注意以下几条比较重要的原则。

5.1.4.1　必须有且只有一个根元素

在 XML 文档中，必须有一个标记能够完全括住其他标记和数据，这个标记叫根元素。在文档没有明显的现实意义时，根元素一般都约定使用 ROOT 或 Document 来标记。否则，应该用 XML 文档所描述的事物名称以达到容易理解的目的。

引用 DTD（文档定义类型）时，根元素就是紧跟在 DocType 保留字后的内容。

5.1.4.2　属性值必须加引号

XML 规定，等于号后边的所有属性值都必须加上双引号，即使属性值是数字也不例外。这与 HTML 是不同的。后者的大多数属性都可以省略双引号，只不过不提倡这样做。

如果一个属性值包括单引号和双引号，那么必须采用“实体引用”的方式。“&opos;”替代单引号，“"”代替双引号。其中，“&”是实体的引用符号，表示从“&”

开始到以“；”结束的这一段字符，使用 DTD 文件或格式声明的 ENTITY 部分中的对应字符来代替。

5.1.4.3　元素之间不能交叉

一个元素中可以包含其他元素，但必须完全包括所要包括的元素，不允许包含一个元素的开始标记而不包含其结束标记。换句话说，就是不允许标记交叉。直接包含一个元素的元素被称为这个元素的父元素。每个非根元素有且只有一个父元素，但一个单独的元素可以含有任意多个子元素。这样，一个 XML 文档中的元素结构可以用树的形式来描述。

5.1.4.4　空标记

不包含任何内容（不是属性）的标记称为空标记。HTML 中像
、<HR>等都属于空标记，这些是不需要类似于</BR>、</HR>等的结束标记的。但在 XML 中，一个空标记必须由“</>”来结束，如</BR>、</HR>。另外，XML 是区分字母大小写的。

5.2　文档类型定义

DTD 给出了文本结构的严格定义。

DTD 是 XML 的正式格式意义描述文件。使用 DTD 时，XML 文档中的每个元素、元素中每个属性都必须定义。

根元素的 DTD 定义语句必须放在 DTD 文档的最前面，如：

```
<! DOCTYPE Root_ElementType [
        ……
]>
```

其中，“DOCTYPE”是关键字，“Root_Element”是根元素名，“Type”指明根元素的类型，当根元素只包括其他元素时可以使用“ANY”关键字或干脆省略，只包含数据文本时用“（#PCDATA）”。方括号内是其他元素的定义语句。

定义其他一般元素的 DTD 语句如下：

```
<! ELEMENT Element_name Type>
```

其中，“ELEMENT”是关键字，“Element_name”是欲定义的元素名，“Type”则指明元素的类型，如果此元素只包含下一层的标记，那么“Type”的值应该使用关键字“EMPTY”。

定义元素的某一属性的 DTD 语句如下：

```
<! ATTLIST Element_name Attribute_name Type Default_Value>
```

与定义元素类似，其中“ATTLIST”是关键字，“Element_name”是本属性所从属的元素名，“Attribute_name”是原性名称定义，“Type”为属性的类型，“Default_Value”为属性的缺省值。

属性类型有许多种，表 5-2 列出了一些属性类型。

属性缺省值也有几种不同的设置类型，可以要求必须提供属性值（使用 #REQUIRED），可以在缺省值时完全忽略该属性（使用 #IMPLIED），或者干脆只允许一个固定值（#FIXED）。

表 5-2　属性类型

属性类型名	含义
CDATA	任意文本字符串，不包括小于号“<”和引号“"”
Enumerated	由竖线分割的可能属性列表，可从中选出正确值
ID	标识文档的惟一元素，其余程序用此属性来引用此元素
IDRET	本属性值为另一个元素的 ID
IDREFS	一组 ID
ENTITY	连接外部二进制数据和外部不可解析实体，如图像便属于此类
ENTITIES	由若干空格分开的外部不可解析实体名称
NMTOKEN	XML 名称
NOTATION	DTD 中声明的注解
NMTOKENS	由若干空格分开的 XML 名称

DTD 文件的内容也可以直接插入 XML 文档。不过，为了简明起见，一般都采用分开的方式，尤其是公用 DTD 时更是如此。

各种组织机构，包括 ANZLIC 和 FGDC 已经创建 DTDs 用于空间元数据。在第 9 章中我们将详细地讨论这个问题。

5.3　XML 命名空间

正如我们前面看到的，XML 命名空间是允许我们把名称含义与 XML 标记相联系的方法。在 SGML 中，引用外部实体集或 DTDs 是可能的，但没有精确的网络关联。对于 XML，受到 Web 需求的推动，对元素和属性的索引跟 URLs 一样，相当有实用价值。

XML 命名空间有准确的语法，为了现在的目的我们只需要知道两件事情：

(1)xmlns 标记用来定义寻求命名空间的 URL。

(2)根据命名空间，给标记做索引，在 gis 命名空间中，采用 gis:bridge 的形式表明称之为桥的标记。

没有命名空间前缀的标记从下一个最远的命名空间标记中继承了命名空间，这种便利对 RDF（资源描述框架）是很重要的，在第 7 章和第 8 章我们将详细讨论。为了引导我们通过 RDF，我们无须知道更多，但是下面的例子值得一看。

```
<section xmlns:gis=http://clio.mit.csu.edu.au/smdogis/xml>
    in the bottom left corner of the image is the
    <gis:bridge>Sydney Harbour Bridge </gis:bridge> and not
    far away is one of Australia's finest buildings the
    <building>Sydney Opera House </building>
</section>
```

关于 XML 命名空间定义的细节存在一定的混乱，这出现在维持与 XML1.0 后向兼容性时，James Clark 作了详细解释，但我们在本文中不作更进一步的研究。

关于 XML 结构需求方面的工作也取得了进展（Malhofra 和 Malong，1999），它将在一定程度上和 RDF 结构融合。我们将在第 8 章中详细讨论这个问题。

XML 对元素的命名不作严格要求，这使开发者在处理相对较小的文件时比较方便。但对于开发大型系统，如 Web 站点等，就会遇到名称冲突方面的问题。名称可以在不同的文件中复用，这带来的混乱可想而知。解决的方法是命名空间的应用，像 URLs 在线定义的那样，每个标记由命名空间指示符赋予特性。

因此，在第 8 章将要讨论的资源描述框架中，每个文件都有一个“rdf ”前缀，比如 creator 加上前缀就成为：

```
<rdf:creator> Garfield</rdf:creator>
```

这种格式能使一个非常普通的词，例如 creator 被赋予一个精确的参照。这种命名法是相当复杂的，但是它有一定的规则，由于篇幅关系本文不予讨论。利用这些规则，开发者可以建立假设和命名空间参照分类。

SGML DTD 对文件结构作了详细说明：哪个元素指向哪儿，什么元素嵌入到什么元素中。但是 DTD 对每个术语的意义和表达并不明确。看下面一段话：

If the palooka sitting East had two bullets he would have doubled. So, he must have a stiff in one of the minors, we can throw him to suicide squeeze West.

如果你读过这本书，你可能会了解这段话的意思。其中的是术语或俚语，需要一本术语表才能理解它。

XML 承认，术语的各种意义在不同的上下文中会有变化。一个文件可能比另一个用得更多。外部定义的命名空间，还有各种各样的缺省定义，并没有前缀。在此，我们不深究规范的精确细节，我们只通过几个简单的例子来了解它的工作机制。

我们有一个命名空间，定义各种航行术语，我们标记为航行。所以标记“水手”代表的是一种类型，可以恰当地标记为：

```
<sail:crew>Fred Bloggs</ sail:crew>
```

这告诉我们术语“水手”是“航行”这个名称空间的一个元素。

那么，我们如何为“航行”这个术语定位呢？我们应用在 XML 中定义的属性，xmlns 为每个找到的信息提供一个 URI（标准资源指示符）。

我们还要掌握另外两点：第一是如何嵌套元素和内部缺省名称空间；第二是我们必须承认，我们至少用了一个名称空间而没有提及它，这就是 XML 名称空间自身。XML 优点之一就是它的难以置信的自引用。多数概念都是在 XML 内定义的，我们将在下文以及下一章看到这一点。

因为 XML 设计并不简明，前缀的连续添加将给文件的阅读带来一定困难，所以我们应用了继承这个概念。一个没有前缀的标记继承它父元素或祖父元素的前缀，这样就构成了文件树结构，程序段如下：

```
<sail xmlns=http://sailing.vir/terms>
    <dinghy>laser</dinghy>
    <cat>Stingray</cat>
</sail>
```

这段程序等价于以下程序段：

```
<sail xmlns=http://sailing.vir/terms>
    <sail:dinghy>laser</sail:dinghy>
    <sail:cat>Stingray</sail:cat>
</sail>
```

注意，“dinghy”是特指的，而“cat”却不然。实际上，一个 Web 搜索“cat”可以有很多点击，有些可能与船一点关系都没有。因此，名称空间是非常重要的。我们可以将代码作些改动，没有明确的理由，只是将属性表达得更加明确。

```
<sail:boat xmlns:sail="http://sailing.vir/terms">
    <dinghy>laser</dinghy>
    <cat>Stingray</cat>
</sail:boat>
```

5.4 XML 模式

在 SGML 中，文档类型定义（DTD）服务于文件结构的准确解码。在 XML 中，这些规则更宽松，只是控制诸如标记相互嵌套这类事情。更强烈的控制需求可以由 XML 模式满足。它们非常详细地描述标记及其可能的值。正如上文所提示的，对元素上下文的控制包括可能的数值取值范围等，模式规范比较新，模式处理软件工具的执行才刚刚起步。

XML 从一个简单版本起步，开始了其生命周期。现在 XML 已经成为 Web 的主流。随着 XML 的应用扩展到元数据、数字信号、基因结构等方面，对一种附加结构机制的需要日益凸显。这种机制就是 XML 模式。在某种意义上，这是一次再创造，其中许多东西与 SGML DTD 都非常相似，但从另外一个方面它已经超越了 DTD 框架，使结构和内容更规范。

模式文件有许多惊人之处，在此，不可能把它们全部包含进来，但 Web 站点有 URLs 指南文件和完全的参照规范。在此，我们建议查找元数据 DTD（实际上是 ANZLIC DTD 的子集），看看 XML 模式文件怎样表达同样的概念。

我们从中间开始，而不是从开头开始，关注元素的定义和属性。文件树结构的根正是 anzmeta 元素的定义。这个元素并不包含任何实际文本，只有其他一些元素。DTD 表目将一个元素定义如下：

```
<!ELEMENT anzmeta - - (citeinfo, descript, timeperd, distinfo?, cntinfo+)>
```

两个连字符表示是否可以省略开始或结束标记（在这种情况没有省略，可能的省略由字母而不是连字符指明），在 XML 中，没有出现起始和结束标记是必须的情况。在框架中有一个构成 anzmeta 元素的元素列表，分隔它们的逗号有特定的意义：元素只能有序出现；符号“&”用于表示需要几种元素，它们可以以任何顺序出现。还有另外两个符号，“？”表示元素是可选择的，“+”表示元素必须出现一次或多次。

在 XML 模式中，这一点看上去很复杂。元素的定义非常简单：

```
<xsd:complexType name ="anzmeta" type="anzmetaType">
```

XSD 声明模式名称空间，元素为空（用结束符“/”声明）。更复杂的是类型属性。任何元素都有简单或复杂的类型。对于 C 或 C++编程用户来说，这与字符或整型数和类或结构之间的差别相似。我们将会看到以后的其他程序很相似，anzmetaType 由其他简单或复杂类型构成，因而也很复杂。

顺便提及，类型的名字可以是任意的。在给实例名字追加描述符的面向对象程序中，我们进行了实践。这仅仅是顺便就可以做的事，我们定义 anzmetaType 如下：

```
<xsd:complexType name ="anzmetaType">
        <xsd:element name ="citeinfo" type="citeinfoType"/>
        <xsd:element name ="descript" type="descript"/>
        <xsd:element name ="timeperd" type="timeperd"/>
        <xsd:element name ="distinfo" type="distinfo" minOccurs=0/>
        <xsd:element name ="cntinfo" type="cntinfo"
        minOccurs=1 maxOccurs="unbounded" />
</xsd:complexType>
```

通过元素的定义及类型，我们向下递归。注意，对 distinfo 和 cntinfo 我们已经指定了属性，用以表示与 SGML 相关的元素可能发生的次数，而“+”运算符是各自独立的。对于其他元素并没有给出初始值，因为默认值就可以了。minOccurs 的默认值是 1，maxOccurs 的默认值 minOccurs。如元素出现一次且只出现一次。在 cntinfo 事件中，我们规定，最大出现数是无限制的。我们也可以规定一个有限值（允许澳大利亚的一个州或一个地区，这个元素的最大出现次数 maxOccurs 是 8）。这是一种在 SGML 上添加的灵活性，SGML 本身并不能表达如此精确的范围。

所有的子元素，如 citeinfo 等将有相关的类型定义，我们并不需要遍举它们，但有些特征我们还需要说明。下面是 cntinfo 类型定义（并没有严格按照 ANZLIC 定义）：

```
<xsd:complexType name="cntinfoType">
        <xsd:element name="cntorg" type="xsd:string"/>
        <xsd:element name="cntpos" type="xsd:string"/>
        <xsd:element  name="address",  type="addressType",  minOccurs=0
        maxOccurs =1/>
        <xsd:element name="city" type="xsd:string"/>
        <xsd:element name="state" type="stateType"/>
        <xsd:element name="postcode" type="postcodeType"/>
        <xsd:element  name="cntvoice",  type="telNumType",  minOccurs=0
        maxOccurs =1/>
</xsd:complexType>
```

需要说明的第一点是，尽管我们已经把城市等用简单字符串类型进行了定义，但我们为州定义了一个特定的类型：

```
<xsd:simpleType name="stateType" base="xsd:string">
        <xsd:pattern value="[A-Z] {}2"/>
```

```
</xsd:simpleType>
```

上面的定义中，美国的所有州名都是两个字母的缩写。于是，我们定义了一个字符串子类来表达这种情况。任何其他类型的字符串都将产生错误信息。

与美国相比，澳大利亚仅有很少的州。这样我们就可以具体规定每个州的缩写名称。我们用枚举法来达到这个目的。

```
<xsd:simpleType name="stateType" base="xsd:string">
    <xsd:enumeration value="ACT"/>
    <xsd:enumeration value="NSW"/>
    <xsd:enumeration value="NT"/>
    <xsd:enumeration value="QLD"/>
    <xsd:enumeration value="SA"/>
    <xsd:enumeration value=" TAS"/>
    <xsd:enumeration value="VTC"/>
    <xsd:enumeration value="WA"/>
</xsd:simpleType>
```

另一个简明的例子出现在 jurisdic 的定义中，是关于 citeinfo 的子元素，权限在此得以明确解释。

```
<xsd:simpleType name="jurisdicType" base="xsd:string">
    <xsd:enumeration value="Australia"/>
    <xsd:enumeration value="Australian Capital territory" />
    <xsd:enumeration value="New South Wales"/>
    <xsd:enumeration value="New zealand"/>
    <xsd:enumeration value="Northern Territory"/>
    <xsd:enumeration value="Queensland"/>
    <xsd:enumeration value="South Australia"/>
    <xsd:enumeration value="Tasmania"/>
    <xsd:enumeration value="Victoria"/>
    <xsd:enumeration value="Western Australia"/>
    <xsd:enumeration value="Other"/>
</xsd:simpleType>
```

应用模式，我们可以做的第一件事是规定那些需定义元素和什么事情属于一个元素之内。

```
<xsd:element name = ="distinfo" type="distinfoType">
    <xsd:complextype name="distinfoType"/>
    <xsd:complextype/>
</xsd:element>S
```

在考虑坐标的情况下，我们需要设定有效值区间，例如纬度从 0° 到 90° 。可见，我们需要做的是用一个简单的类型整形数限制它的应用。

```
<xsd:simpleType name="latitude" base ="xsd:integer">
    <xsd:minInclusive="0">
    <xsd:maxInclusive="90">
</xsd:simpleType>
```

有时，我们可能想把元素内容跟一些文本数据结合在一起，做法如下：

```
<distinfo>
    The following options are available:
    <ol>
            <li> mapinfo</li>
            <li> arcinfo</li>
            <li> openGis</li>
    <ol>
    These data are also available in a variety of other non-standard formats.
</distinfo>
```

表示的模式如下：

```
<xsd:element name="distinfo" content="mixed">
    <xsd:element name="ol">
</xsd:element>
```

注意，我们不能把文本与元素随机地组合。尽管在它们之间可能已经混合了简单的文本，我们仍然需要规定元素出现的顺序。

假设我们要限制可能使用的特定字符。做这件事情有规则的表达语法。这其中细节比较复杂，我们只看下面的一个简单例子。

对继承数据而言，存在的共同问题是数据来源的不确定性，例如开始日期无从可知。对这些数据我们可以剔除掉或添加一些未知标志来标识它。还有一种选择是给元素赋空值。在 XML 模式中我们采用如下形式：

```
<xsd:element name="begindate" type="date" nullable="true">
```

日期元素本身表示如下：

```
<begindate xsd:null="true"></begindate>
```

当然，我们可以使元素成为空元素，我们只需简单地使内容属性为空即可：

"Content = empty"

对于这种格式需要注意两点。首先，我们已经定义了一个具体的名称空间（如 XML 模式）为空属性。其次，标识符不应为空标识符，但标识符中确实什么都不包含。

我们可能要详细规定一个元素是由若干其他元素组合而成的。要做到这一点，有几种方法：choice、sequence 和 all。元素 choice 只允许选择一个元素。

```
<xsd:choice>
    <xsd:element>
    <xsd:element name=type=/>
    <xsd:group ref=junk/>
```

```
</xsd:choice>

<xsd:group name=junk>
    <xsd:sequence>
    …
    /xsd:sequence>
</xsd:group>
```

注意，Sequence 表示默认选项，而元素 all 表示我们必须使用所有元素，但它们可以是任意顺序，例如：

minOccurs and maxOccurs。

在一定意义上，XML 模式对混合内容模型更精确。

5.5 XQL: XML 查询语句

XQL 是查询 XML 文件的基本语言，它可以在许多软件包中运行。实际上，它是 1998 年 WebMethods 公司的 Joe Lapp 和微软公司的 David Schach 在给 W3C 查询语言研究组的建议书中定义的。

完全的标准可能更复杂。它允许跨越多重文档的查询，但是甚至没有书写程序的草稿建议书。相关的标准是对象查询语言（OQL）。既然在 Web 领域一个重要的方向是迈向面向对象模型，那么 OQL 将会在最终的标准中起重要作用。

基于 XML 元素，与元素内容的模式匹配一起，XQL 能够选择文件子集。XQL 具有 SQL 的许多共同的特性。除了执行的操作方式外，它是一种说明性的，而不是程序性的。因此，XQL 工具用许多算法和技术来提高查询处理的效率：这与语言本身无关。XQL 查询结果本身是一个 XML 文件。这种查询文档在元数据上下文中是很有用的，因为我们可以从中提取不同部分的元数据用于特定目的。考察下面的程序段，它是 ANZLIC DTD 中一个缩写的、假设的文件。

```
<anzmeta>
    <descript>
        <abstract>
        covers Bathurst and surrounding area
        </abstract>
            <keyword thesaurus=Oplaceso>NSW</keyword>
            <keyword>city</keyword>
        <theme>
    </descript>
    <distinfo>
        <native>
            <digform>
                <formname>
```

```
                    Unsigned 8 bit generic binary
                    </formname>
                </digform>
            </native>
            <acconst>
            available online to the general public
            </acconst>
        </distinfo>
        <distinfo>
            <native>
                <nondig>
                    <formname>
                    ordinary hardcopy map
                    </formname>
                </nondig>
            </native>
            <acconst>
            available for purchase from gov.shops
            </acconst>
        </distinfo>
    </anzmeta>
```

假设我们要检验由元数据描述的数据集的数据质量。DTD 提供了一个元素 <dataqual>，包括子元素的描述，例如精度、数据完整性、逻辑一致性等。我们应用 XQL 查询 anzmeta/dataqual 得到一个子文档，现在我们检验这些数据是否符合我们的质量要求。我们没必要自己明确地写出这些查询语句。它们会通过一个特定的元数据查询程序自动生成或者提取的数据本身就是程序的一部分。下面我们作进一步的分析。首先分析怎样取得 XML 文件的元素，然后分析怎样进行规定的模式匹配。

5.5.1 定位元素和属性

在 20 世纪 90 年代末，对 Web 语言规范化的要求使人们受益，应用相似语法的优势是显而易见的。因此，在 XQL 中定位元素的语法几乎与为通用资源标识符（URI）定义的路径名语法相同。为了获得数据质量元素中的位置精度，采用简单的方式即可：

anzmeta/dataqual/posace.

斜线（/）用于分开各元素。也许我们要访问数据，而不是生成父节点的子节点那样简单地继承。我们要寻找那些深藏在 DTD 结构中的关系组织节点。这时，我们要使用双斜划线（//）操作符：anzmeta//cntorg。

```
<descript>
    <abstract>
        Covers Bathhurst and surrounding area
```

```
        </abstract>
        <theme>
            <keyword>NSW</keyword>
            <keyword>city</keyword>
        </theme>
    </descript>
```

但是，如果文件中包含了重复出现的元素将发生什么情况呢？像你预料的一样，节点序列准确地返回到它们在文件中的顺序。然而，这种列表将不是有效的 XML 文件。所以对查询的结果<xql:result>被返回，包含在根元素之内。假设在<anzmeta>文档中描述了两种分布式格式，那么查询 distinfo 将会返回 XML 文件。

```
<xql:result>
    <distinfo>
        <native>
            <digform>
            <formname>
                Unsigned 8 bit generic binary
            </formname>
            <digform>
        <native>
        <acconst>
            available online to the generic public
        <acconst>
    </distinfo>

    <distinfo>
        <native>
            <nondig>
            <formname>
                ordinary hardcopy map
            </formname>
            <nondig>
        </native>
        <acconst>
            available for purchase from gov.shops
        </acconst>
    </distinfo>
</xql:result>
```

对于两种格式的描述，一个在线格式和另一个硬拷贝格式，通过网上订制获得。我们已经得到子节点及其内容，实际上是所有子节点的查询结果的深层返回值。事实上，一个深层返回用两个问号“? ?”标记说明，而一个表层返回值仅用“distinfo?”表示。

```
<xql:result>
        <distinfo>
        <native>
        </native>
        <acconst>
        </acconst>
        </distinfo>
        </descript>
</xql:result>
```

熟悉操作系统如 UNIX 的读者,可能已经注意到对路径命名法的相似性。相似地，源于规则和逻辑表达式的几个概念可互相转换。星号(*)是十分有用的，可以表示一切查询路径。因此，查询要找到体现父子关系的关键词：

```
descript/*/keyword
```

在转移属性和元素文本内容之前，我们稍稍反过来想想，我们能选择一组查询中用的节点,返回该组节点的功能。覆盖全部方法，猜测一下下面查询的结果是什么?

```
descript??//keyword/Tricky
```

我们得到的是有一个关键词继承的全部描述元素 (深层返回值)。

```
<xql:result>
    <descript>
        <abstract>
            Cover Bathurst and surrounding area
        </abstract>
        <theme>
            <keyword>NSW<keyword>
            <keyword>city</keyword>
        </theme>
    <descript>
</xql:result>
```

到现在，我们已经讨论了怎样从文件目录中移动或选择查询项，有两个十分有用的概念，即序列和位置，但这些问题已超出了该书的范围。

所有的上述技巧和技术也适用于属性查询。所有我们要做的是给属性名加一个前缀@。属性可以在一个元素中以任何顺序出现，没有子属性或子元素。注意，当讨论针对属性查询时,我们得到字符串的返回值。这些字符串无须生成一个有效的 XML 文件。

5.5.2 条件查询

到现在为止，我们完全是基于元素或元素子树及属性在文件树中的位置，对它们进行合适的定位。假如现在我们想强加一些条件来获得准确的返回值，条件放在元素或属性后的方框 [ ] 内。因此，native[nondig]返回以下内容：

```
<formname>
        ordinary hardcopy map
</formname>
```

现在我们用简单的布尔运算，增加比较表达式，用“eq”和“ne”表示，或简单地用表达式= and!=和 native[xxxx]。通过增加布尔关系算子“or”和“and”，我们能进行真正复杂的查询。例如下面的表达式：

```
keyword[$not$ @thesaurus]
```

返回关键字“cities”。

我们可以对整型数和实型数进行比较，所有附加比较运算符都是 XQL 扩展的部分。

5.6 获得 DTDs 和其他规范

在前面的章节中，我们已经看到了适于文件结构和语义描述的各种各样的规范。还会有很多规范出现。因此，对于一些给定的文件怎样才能知道到哪里寻找这些说明？有两种机制：在文件顶端的文件头和嵌入的 URLs 中找。

在 SGML 中，我们从相当复杂的表头区开始，用语法规定了大量要做的事情，这些语法用于定义 SGML 的结构。对此，我们无须担心太多，因为对于许多选项 XML 锁定缺省值。

一开始出现的关键部件 doctype 在 DTDs 中的声明给出如下：

```
<!DOCTYPE myDTD[
    <!ENTITY % ISOpub PUBLIC
    "ISO 8879-1986//ENTITIES Publishing//EN">]>
```

嵌入声明定义了公共实体，如表达式 ，代表非分隔符。在这一定义中，我们参考了 ISO 的定义，一个公共文本类 (ENTITIES) 和一个公共文本描述 (Publishing)，最后是文本语言代码（EN for English）(Bryan，1988)。

在 XML 中，下面情况稍简单些：

```
<?xml version="1.0" encoding="UTF-8"?>
<?xml:stylesheet href="annrep99.css" type="text/css"
        charset="UTF-8"?>
```

第一行声明了 XML 的版本号和编码规范。第二行提供了与 SGML 框架的一些不同：表达文件的特定风格。处理系统不需要利用这些：一个查询代理将会对内容感兴趣而不是对表示法。

5.7 未来发展

XML 发展迅速。所有类型的规范也在发展，价格低廉或免费软件更容易应用。SGML 与 XML 向下兼容，但自身已在衰退。图 5-1 表达了目前的情况。

5.8 进一步阅读的资料

SGML 是比 XML 更旧的标准，关于 XML 有许多好作品可读。Bryan(1988)出版了一本正式的、完整的、优秀的参考书。XML 正在迅速扩展，在 Web 上的应用没有什么可以替代。关于 XML 著作的网站是 http:// www.csu.edu.au/complexsystem/smdogi。

两本讨论结构化文件更广泛应用的著作分别由 ALschuler(1995) 和 Ensign(1997)写成。Charles Goldfarb 是 SGML 和 XML 技术研究的先锋，他的新作《XML 手册》(Goldfarb 和 Prescod，1998)，是十分有价值的参考书。

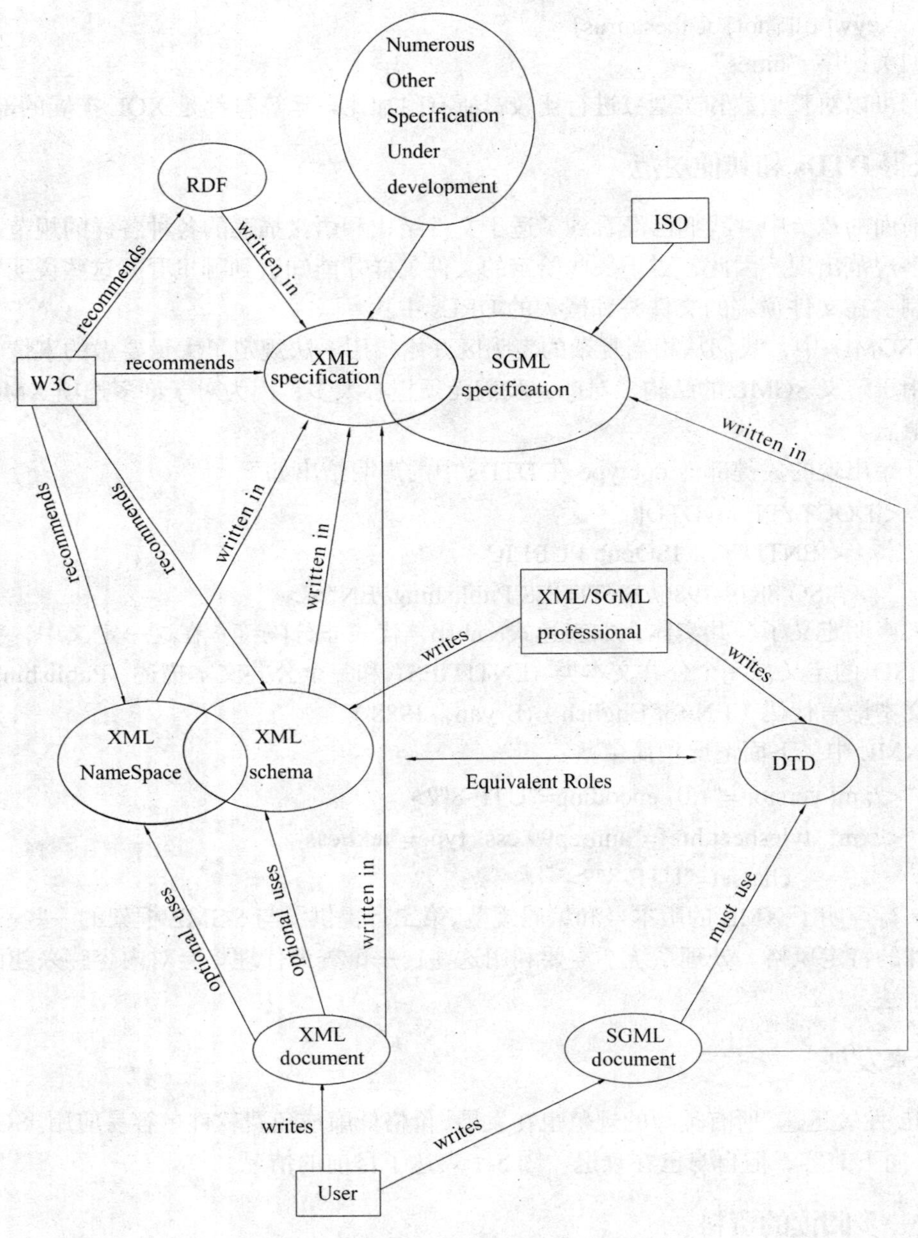

图 5-1　XML 和 SGML 部件

第 6 章 信息网络

在上一章，我们详细讨论了如何把地理信息放到网上的机制。但是，Internet 的真正价值在于信息的共享和发布。地理信息在本质上是分布式的。不管是中国的长城、加拿大的矿山，还是英国的道路、美国的湖泊，多数地理应用只关心特定领域的特定主题。为编制一幅世界专题地图，需要叠加区域或国家的大量专题信息。为此，我们必须从各种不同的渠道收集信息。

结果是在考虑地理信息在线的时候，我们需要超越从单个 Web 站点传递地理信息的方法，要分析如何协调遍及许多不同站点的地理信息。因此，在这一章中，我们将讨论这些问题及相关的技术。我们的出发点是首先要理解创建和协调信息网络的问题。

第 6 章是集成第 1 章 ~ 第 5 章的工具和技术成为一个巨大信息系统的第一阶段。迄今为止，我们已经看到一些用于空间操作、数据有效性、文本和图形标识等方面的 Web 技术。现在我们来讨论信息网络(IN)的概念，IN 是众多 Web 站点的协作体。INs 需要得到一系列概念和思想的支持，包括质量控制、标准化、索引、维护、安全、保密性、可扩充性等。

在后面的章节中，我们将考察使 INs 切实可行的工具，第 10 章中将讨论分布式数据仓库和怎样开发一个完整的 IN 问题；第 11 章将展望新技术和我们面临的一些新问题。

6.1 信息网络的概念

我们如何在大范围内组织信息？一种方法是从数据源开始，将各个分散的站点组成一个信息网络。这时，信息网络就是 Internet 上协调各个站点行为的站点集合，信息网络在某些公共的框架下遵循信息索引运行。

出于我们讨论问题的目的，我们将信息网络定义为协同提供关于特定专题、兴趣主题和事件的一组 Web 站点的集成。IN 是协调在线信息发展的一种体系结构。信息网络不应与连接计算机的通讯网络混同。计算机网络把计算机连接在一起，而信息网络是把信息、执行特定主题的人和行为连接在一起。

本章我们讨论广义信息网络，它们通常是松散组织的，在性质上是非均质的。第 10 章我们讨论更密切的连接分布式数据仓库的网络。

Internet 蕴涵着发展全球信息系统的潜力。在现实意义上，WWW 本身就是一个巨大的信息网络。但它却不一定能满足特定专题或主题的需要。随着 WWW 的广泛传播，特别是进入 20 世纪 90 年代以来，我们看到在众多领域，在信息网络上实现协同工作的工程剧增。天文学家建立全球网络把星图连接在一起，就宇宙的新发现进行通讯；生物技术专家建立网络，如欧洲分子生物学实验室(EMBL)，实现全球不同站点数据库的无缝连接。

大量国际合作计划也致力于全球资源和环境信息的在线连接和合作研究。如国际植物信息组织(IOPI)开始发展了世界植物物种检索表(Burdet，1992)；物种 2000 计划也有类似的项目(IUBS，1998)；同时，生物多样性信息网(BIN21)建立了自己的站点网络，编纂全球各个大陆的生物多样性论文和数据；还有许多在线信息网络致力于环境和资源研究和服务。

1994 年，OECD 建立了大科学论坛来推动全球主要国际科学工程的进展(Hardy，1998)。人类基因工程就是其中之一。另外一个庞大工程是全球生物多样性信息设施(GBIF)，其目标是建立一个基于 Internet 的公共访问系统，遍历全球 180 个生物物种数据库，提供对全球已知的生物物种的访问。

相似的示例还有许多是行业领域的。如 1996 年，国际林业研究组织联合体(IUFRO)建立了自己的国际信息网络，并于 1998 年开始启用，发展了全球林业信息系统(IUFRO，1998)。

或许应用最广泛的信息网络是支持流行搜索引擎的那些，许多搜索引擎发出查询请求到大量支持数据库，并取得查询结果，或者在一个限定的主题下区域内搜索和采集一些重要数据，这种原理也同样应用于环境数据的挖掘。例如，澳大利亚—新西兰土地信息协会(ANZLIC)编制了澳大利亚空间数据字典(ASDD)来检索环境数据库和数据存储(ANZLIC，2000)。

6.2 信息网络的功能

Internet 上第一个具有分布式特征的地理信息系统是按国家来实现 Web 站点 WWW 检索的。只简单地按国家筛选出由 CERN 注册的 Web 站点。但随着 Web 站点数量的增加，管理变得越来越困难。因此，在 1993 年，CERN 开始为各个国家制定外部索引，有效地把这些服务转换为分布式地理信息网络。商业竞争和技术发展的融合是必然的，因为单靠任何组织或部门来维持站点的官方注册几乎是不可能的。

另一个具有地理基础的早期信息网络的例子是第 1 章描述的虚拟旅行家(VT) (Plewe，1997)。正如我们前面看到的，VT 是按照国家或州索引来查询信息的。虽然 VT 索引支持地理搜索，但它与站点注册是不同的。

从有组织的地理信息网络获取信息有许多优势。正如上面的例子表明的那样，地理信息网络使得把信息服务放在一起成为可能，这不是哪个部门或哪个组织能单独完成的。有组织的地理信息网络的优点是：

(1)整体大于部分之和。综合不同数据集使得个体难以完成的工作得以实现。如地理索引，每个数据集覆盖了一个独立的区域；另外，可以创建不同种类数据的叠加，使得进行新的分析和解释成为可能。

(2)便于数据更新和维护。采集主要数据的组织也可以出版和发布数据。这使得更新数据更容易，也克服了版权归属问题可能带来的麻烦。

(3)信息网络是可扩充的。越来越多的组织和节点可以以不同层存储，而不会出现系统中断。

最终的地理信息网络将是一个全球性的系统，提供所有尺度上的各种地理数据之间的连接(第 11 章)。但是建立这样的系统还有很长的路要走，技术上也要克服很多障碍。同时，把广泛分布的地理信息组合在一起有很多优点。因为对 GIS 管理者而言，采集数据是最耗时最烦琐的工作，信息网络具有把在全球分布的各种地理数据按需应用的潜力。

6.3 信息网络的组织

早期的网络工程协同提供简单公用界面的站点，罗列出在线资源。另一种通用的模型是虚拟图书馆，由连接信用服务的中央索引组成。一个更有前景的模型是分布式数据仓库(第 10 章)，该系统由一系列分布在 Internet 上各个独立站点的数据库构成，含有公共的搜索软件。

一个分布在若干站点(节点)上的信息系统需要各站点之间的密切协同，这种协同需要在以下几个方面达成一致：

(1)在线信息的逻辑结构。

(2)各站点之间的功能分离。

(3)提交信息的属性标准。

(4)输入、校正等提交的协议。

(5)质量控制标准和程序。

(6)数据库在线搜索协议。

(7)镜像数据集协议。

例如，一个全球数据库工程由一系列涉及上述各要点的协议组成，各个参入的站点(节点)必须共同遵守。研究者可以提交他们的相关数据输入给任何一个节点，每个节点镜像其他节点或者提供与节点的在线连接。

6.4 与信息网络相关的问题

信息网络的一个优点是能够直接面向那些建立可靠信息系统的关键问题。网络中的各个站点在公共的框架下工作，相关的关键问题是：

(1)标准化。

(2)质量保证。

(3)出版模型。

(4)信息源的稳定性。

(5)数据管理员。

(6)法律责任及其他法律事务。

(7)资金。

6.4.1 对标准和元数据的需求

如果不同的数据集彼此兼容，协同和交换信息是可能的。为了能够复用，数据必须遵循有关标准。因而，对广泛认可的数据标准和数据格式的需求十分迫切。考虑到计算机通讯的重要性，新发展的标准需要与 Internet 协议兼容。

常用的 4 种主要标准是：

(1)信息设计标准和信息模型描述了企业的信息需求，所有数据在框架内采集、存储、分布。

(2)属性标准，定义了采集什么信息的问题。有些信息如 Who、When、Where、How 等对每个数据集都具有实质性意义，其他信息如土壤 pH 值或许是需要的但不是实质性的。

(3)质量控制标准，提供了数据合法性、精度、可靠性和方法的说明。

(4)交换格式，规定了如何布置分布式信息的问题。标识语言 SGML 和 XML 为所有各种格式信息提供了灵活的、强有力的标准，这对数据库数据记录的交换也很重要。ISO

标准 ASN.1 标记字段格式为定义和交换电子信息提供了灵活的协议，软件库提供了复制和重定格式文件的工具。

元数据是关于数据的数据，它们提供数据集的本质背景信息。如是什么(What)，什么时候、什么地方采集(When, Where)，谁生成它(Who)，数据结构怎样(How)等。没有相应的元数据，数据集通常是难以使用或无用的。元数据作为索引工具是十分重要的，特别是 Internet 上大尺度存储库的出现，元数据的重要性日见突出。因为大量的在线信息，W3C 支持自编文件项，也就是说，它们包含自己的元数据。

不管资料本身如何，元数据总是覆盖基本的信息项。广义地讲，元数据需要说明如下基本问题：

(1)How：信息怎样获得和编辑？

(2)Why：为什么编辑信息？

(3)When：信息什么时候采编？

(4)Where：信息提交到哪里？

(5)Who：谁来采集和编辑数据？

(6)What：信息是什么？

例如，Dublin Core 原先是为实现在线图书馆的功能而设计的，规定了用于标识和索引 Web 文件的字段(Weibel 等，1998)。XML 影响的一个重要方面是使元数据成为文档和数据的整体结构部分和形式。RDF 提供了一种基本的方法，用以描述 RDF 信息任意项的特性(Lassila 和 Swick，1998)。在第 8 章中我们将详细地讨论元数据标准。

6.4.2 数据质量标准

数据质量是信息采集时最关心的问题。不正确的数据会导致出现错误的结论，甚至导致整个系统的失败，并在用户中失去信誉。数据质量主要涉及数据源、点位精度、属性精度、要素完整性、逻辑一致性、数据现势性等。制定数据质量标准的目的是确保数据的合法性、有效性、完整性、精确性和可更新性。

6.4.2.1 地理信息质量标准

出于应用考虑，数据获取必须遵循相关的技术标准，以便于与其他数据融合。任何数据记录的误差都可能是致命的。鉴于数据质量的重要性，国际标准化组织地理信息/地球信息技术委员会(ISO/TC211)从 1995 年开始立项研制第一批国际地理信息标准时，在其开展的 20 个项目中安排了两个与数据质量有关的项目，即《地理信息质量标准》(ISO15046—13)和《地理信息质量评价标准》(ISO15046—14)。

《地理信息质量标准》旨在建立描述地理数据质量的原理和提供有关数据质量的模型。该标准定义数据质量信息的组成部分，包括数据质量定量元素、数据质量定量子元素、数据质量度量方法、数据质量非定量元素等。地理数据的生产者和用户都使用这一标准，生产者按照该标准说明地理数据的质量，用户则按该标准确定地理数据是否满足其特定的应用需求。

地理信息数据质量的元素分为两大组成部分：

(1)数据质量的定量元素：它是数据生产者对照 GIS 数据生产规范的一组判断标准，度量数据质量的优劣。

(2)数据质量非定量元素：便于数据使用者根据所提供数据的目的、历史记录和使用信息，评价 GIS 数据对于某种特定应用的适应程度。

数据质量的内容包括：

(1)完整性：如要素的完整性、属性的完整性等。

(2)逻辑一致性：如属性一致性、格式一致性、拓扑一致性等。

(3)位置精度：如绝对精度、像元位置精度、相对精度、形状的相似性等。

(4)时间精度：如与时间有关的属性或属性类型误差等。

(5)专题精度：如要素属性的连续值精度、有序值精度、额定值精度等。

6.4.2.2 数据质量检验评价

保证数据质量的最直接方法是切断误差来源。也就是说，录入原始数据的工作人员必须一丝不苟，确保录入数据的合法性和精度。

Burrough(1986)曾系统地分析了 GIS 中的误差。他将误差分为明显误差、源于自然或原始测值的误差、源于数据处理的误差。在这三组误差中，第一组误差是十分明显且易于查出的；第二组误差相对比较复杂，但在与数据接触时可以查出；第三组误差是在执行某一处理时才会出现，这种误差最难于测量，因为误差不仅与所使用的数据有关，而且与所使用的算法、数据结构有关。

6.4.2.2.1 明显误差

明显误差包括：

(1)数据年龄。大多数信息系统使用已有的数据，而这种数据往往是过时的，使用的数据越旧，出现误差的可能性越大。

(2)地图比例尺。一般来讲，地图比例尺越大，表示的内容越详尽，精度就越高。

(3)观测值密度及其分布模式。有些专题地图(如土壤图)是对一系列观测值的内插得来的。在建立数字地面模型时，内插误差较量测误差要大得多。

6.4.2.2.2 源于自然变量或原始测量值的误差

这种误差(也称源误差)，主要是数据采集和录入中产生的误差，包括：

(1)遥感数据，如摄影平台、传感器的结构及稳定性、信号数字化、光电转换、分辨率等。

(2)测量数据，如人差(对中误差、读数误差、平分误差等)、仪差(仪器不完善、缺乏校验、未作改正等)、环境影响(气候、气压、温度、磁场、信号干扰、风等)。

(3)属性数据，如属性数据的录入、数据库的操作等。

(4)GPS 数据，如发射信号的精度、接收机精度、定位方法、信号处理算法等。

(5)制图，如控制点精度、编绘、清绘、制图综合精度等。

(6)数字化精度，如纸张变形、数字化仪精度(定点误差、重复误差、分辨率等)、操作员的技能、采样点密度、要素的图上宽度等。

6.4.2.2.3 处理过程中产生的误差

GIS 对空间数据处理时产生的误差，如在下列处理中产生的误差就是处理误差：

(1)几何纠正。

(2)坐标变换。

(3)几何数据的编辑。

(4)属性数据的编辑。

(5)空间分析(如叠置分析)。

(6)图形简化(如数据压缩)。

(7)数据格式转换。

(8)矢量数据与栅格数据的相互转换等。

在意识形态上，通常认为来自大的机构或部门的数据以及来自专业标准组织的数据是相当可靠的，而对从私人机构获得数据的质量的可靠性提出质疑。事实上，却并非如此。每个人都会犯错误，所以数据的质量检验是实质性的问题。

《地理信息质量评价过程》(ISO15046—14)标准提供了数字形式地理数据质量的评价过程框架，评价过程根据《地理信息—质量》标准定义的数据质量模型确定数据质量评价内容后，建立评价过程框图，将数据质量评价结果报告作为数据质量描述数据(即元数据)的一部分，按照数据生产者的生产规范和用户对数据质量的要求，确定 GIS 数据满足应用需求的质量等级。

基于《地理信息—质量》标准中定义的数据质量组成部分，数据质量评价内容包括地理信息数据集、要素类型、要素、要素关系、属性类型、属性等。

大型数据仓库在形式和质量两个方面保证协议执行以容纳、合并和出版数据。有些协议包括检验所需标准的一致性、应用的标准样例、当前应用的数据标准的方法论、结果正确性、合法性检测等。

信息网络协议发展得还很不够。对一个站点而言，一种可能性是协议成为信息网络的一部分，它应该接收一种适当的质量认可。例如，在制造业中和软件发展过程中，ISO9000 质量机制被广泛采用。为了取得 ISO9000 认可，首先需要有恰当的保证输出质量的机制，其次形式认证组织将调查质量过程，确保其满足国际标准。

6.4.3 出版模型

明确信息在线应用是一种真正的出版形式，这很重要。在传统意义上，术语“出版”是跟书籍及其他印刷出版物密切相关的。但在电子时代，出版被赋予了更多的含义。随着多媒体技术的发展，印刷品、视频、声音等多媒体信息之间的界线正在变模糊。现在关于“出版”这一术语的可能定义是：“分发智能资料给有意向需求的听众的行为。”虽然媒体和资料可以有很大不同，但是出版的过程本质上是相同的(见图 6-1)。在线出版模型使得许多出版步骤得以自动进行。该模型分解了所有传统出版过程的各个阶段，但是却更加规范化。我们总结为以下步骤：

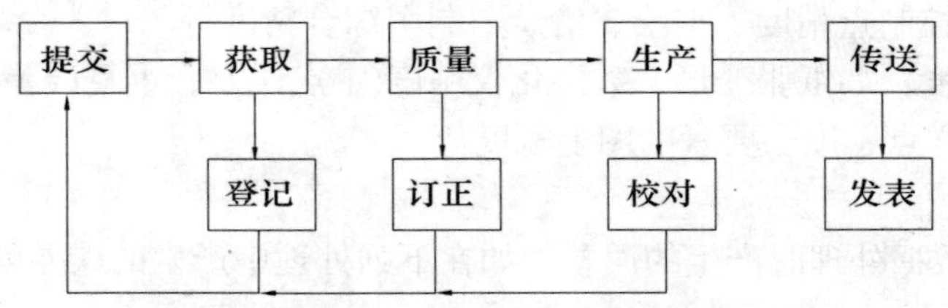

图 6-1 出版物在线出版步骤小结

(1)提交。作者提交资料给编辑。

(2)获取。出版商获取资料，包括出版许可。

(3)质量检查。检查出版资料，错误之处返回作者订正。

(4)生产。资料准备出版，这个阶段包括样稿编辑、设计、排版、打印和装订。

(5)发行。出版物拿到书店去卖，以便公众认识到其价值。

注意，上述程式完全是通用的，可以适用于任何一种信息，包括数据、文本、影像、视频、声音等。

虽然上述过程根据具体情况的不同会有很大的差别，但其本质是相同的。例如在传统的杂志、期刊中，作者提交论文给编辑，进行登记，送审评估论文质量(包括外审)，然后送达印刷部门，准备最后出版。当出版物准备发行的时候，需要做些宣传，如广告等。

上述过程的本质可以适用于任何一种出版物，不管是传统的还是在线的。例如，添加数据到数据库(包括数据记录的提交)，由数据管理员提交给数据库管理员，数据库管理员进行数据质量检验，为数据记录添加标记并入库。

出版模式的重要性在于它提供了一种系统的框架，使得许多编辑和出版功能自动进行。如数据提交的整个过程都可以自动进行。作者可以采用上传的方法把资料提交给出版社，整个过程都可以在网上自动完成。甚至还可以进行基本的质量检查，确保所有相关信息都已提供，或者检查嵌入 URLs 的合法性。

当作者提交数据给出版社的时候，几个任务必须立即执行。典型的任务包括：

(1)分配参考编号。

(2)加盖提交日期印章。

(3)建立新资料目录。

(4)将调出的文件写入目录。

(5)创建包含所有提交细节的注册文件。

(6)添加来稿顺序号及编辑控制文件，便于以后处理。

(7)给作者发回执。

(8)进行信息的初步检查。

(9)正式通知编辑。

一般地，一次提交将需要有几个文件上传(一篇文章加图形)。如果该提交需要创建一个详细的目录系统，那么最好的方法是为作者绑定完整的目录系统和文件。如果不需要单个的文件提交上传，那么，上面的过程就可以简化，但是主要的步骤仍然是不可或缺的。从原理上讲，提交会议摘要、提交入库数据、提交著作正本之间没有什么不同。

上述模式同样适应于信息系统，我们可以对这些步骤进行封装。有许多出版系统和软件包用于创建这种封装对象，在线出版语言如 SLEEP，这也有助于简化自动提交和其他出版程序的建立。

最后，我们应当注意，上述模式实际上只用于单个站点的资料出版。在信息网络上下文中，当出版资料需要协同时才应用这种模式。另外，在许多上下文中，还需要应用一些不同的方法如认证模型等，我们将在第 6.5 节中对此详细予以讨论。

6.4.4 信息稳定性

令用户和管理人员共同关心的问题是重要信息源经常会失去时效。这说明 URL 变化的现有机制不是简单有效的，这种方案并没有把信息放在核心位置。维护信息的站点应该成为基本信息源。因为数据集的拷贝很快就会失去时效性，所以将其他站点与维护数据集的站点相连接是行之有效的方法。

在线信息出版发布包含了稳定性的度量。也就是说，信息存储在信息网络的某个位置，使用很长一段时间，而不会突然消失或弃用。

对资料的消失，最普遍的原因是 Web 站点的重新组织。事实上信息仍在，但已在站点内的不同位置上。这个问题发生，最通常的原因是出版者没有考虑他们站点的结构。另外一个问题是，Web 站点经常反映了运行它们的内部结构，所以太多的 Web 站点需要被改变。在站点建立的时候，通过采用面向用户的而不是自己的逻辑结构，采用的是服务逻辑名称而不是机器名。出版商通过详细的规划能够避免这些问题。

还有一个更严峻的问题是资料的丢失。信息离线有很多原因，特别是站点或服务器的关闭很容易造成丢失。当网络灾难发生的时候，经常有资料丢失，所以复制备份是最好的方法。

再一种方法是运行一个镜像站点，也就是将所有资料和服务在另一个站点备份。一个镜像需要对来自主要站点的信息有规则地复制备份，这样做十分经济实用。

还有另外一种方法是数据在线存档。数据在线存档在 Internet 的早期 WWW 出现之前是十分流行的。最普通的例子是 FPT 站点，存储公共域软件和共享软件。有些政府站点已经建立了各种数据的在线存档，如天气记录、卫星影像、科技数据等。许多图书馆也开始创建电子媒体的在线存档。

6.4.5 数据管理员职能

管理员有两层含义，即照看某事的人和控制某事的人。就数据管理而言，两者之间的细微差别是很重要的。下面，我们逐一讨论这两个角色。

数据状态是 GIS 中的主要问题，也是众多数据库领域面临的问题。例如，城市政务委员会出于税收的考虑需要持有财产所有人的名字；同样地，商业目录和旅游数据库需要跟日期密切联系。维持数据当前状态对于从事编辑信息的机构而言，是一项十分艰难的任务。当数据集用于其他组织时，问题就更复杂了。这是 GIS 十分关心的问题，因为 GIS 综合了许多不同来源的数据。在线 GIS 的一个重要优势是具有直接从数据源头访问主要数据的潜力。这就意味着数据更新可以直接从数据源着手并入 GIS，而不必等到直至接收和上传新版本数据。

数据共享的试验经常建立在特定问题域的基础上。对构建和发展数据集的机构而言，数据集是很有价值的。数据集移交给其他的组织机构是一件很勉强的事，而且还得考虑收入情况。建立在线分布式数据库提供了另外一种解决此问题的有潜力的方法。出版在线数据允许许多机构保持对数据的控制和管理，同时也使外部应用成为可能。

对使自己的数据服务于在线应用的机构来说，补偿费用的问题仍然存在，特别是需要以自动的方式与其他数据层合并时，更是存在这个问题。如果一个机构出让了对自己的在线数据的访问权，它怎样掌管意欲把这些数据用于其他服务的机构？例如，地理基础图层为旅游提供基础地图服务，谁来保护提供地理基础图层机构的利益？人们已经尝试了多种方法，传统模型包括企业联合组织，以适当地补偿些可估算费用的方式，允许其他的组织应用他们的数据。另外，还要讲究诚信。

因此，所有参入组织或部门都应采用数据共享的方式，并加以监控。少量付费的问题在某些情况下会十分困难，这个问题下一章将进行讨论。

如果一个自动代理在执行查询过程中从另外站点获取了数据——一个离线事务处理，会发生什么情况呢？在许多情况下信息访问都需要进行数据处理。一种可能性是根据获取数据需要付出的努力，为数据付费。这考虑的是实际数据量，可以连接到 CPU 执行一次查询或一些复合查询。问题是当前的多数标准都出现在电子商务开始兴起之前，因而这些标准中不包括适合这种问题的模型。因此，对模型有一种迫切的需要，能够使有关机构以最小的费用从任何地方获得数据。这对于 GIS 的广泛应用意义重大，如用移动电话访问 GIS。

6.4.6　合法性问题

合法性是出版业一直十分关心的问题。虽然出版在线数据有着十分广阔的前景，但却存在由于数据原因而造成的危害。有些情况下，担心遭到诉讼本身就足以阻止数据机构发布他们的数据。最大的问题是数据存在错误、不够精确或不完备，而导致了错误的解释。例如，假设记录中存在纬度或经度的错误，可能就意味着一个濒危物种正好就在规划的商业用地中间，这种后果是十分严重的，所以，这种信息就足以阻止一个企业几百万美元的投资。发展商可能就要对此提出诉讼，追究包括所有提供这种错误信息的个人和机构的责任。

为了减少遭起诉的危险，确保发布的信息是正确的，应采取如下几个重要的步骤：

(1)对提交的数据进行质量认证。

(2)连同每个数据集提供相关的元数据，还有关于数据质量、局限性以及防止误解的说明。这是很重要的，因为人们总是意图忽视局限性(如精度)，并声称数据可以用于任何目的。

(3)连同上述防止误解的说明，提供一个包含应用条件、责任警告的声明。

下面的例子说明了应包括的细节。

数据用户总是处在一种危险中，尽管作者和编辑已经做了巨大的努力来检验所提供信息的正确性，但是他们或出版者都不承担可能发生的任何错误或不精确的责任。他们也不承担可能由组成信息的各种应用导致的任何结果的可靠性问题的责任。

6.4.7　资金问题

阻止许多网络启动的重要因素是怎样为它付费。单个站点的经济相对直接明了。可是如果有许多站点共同完成一个特定的服务，那么这笔钱应该怎样来付？按我们的经验，建立信息网络的许多尝试都失败了，因为他们蒙受了经济损失，没有任何效益，所以，许多站点管理员十分勉强地参入这种行动。对于非商业站点来说，问题非常尖锐，因为这些站点依赖于有限的慈善资金维持自己的运转。当资金直接用于构建网络时，每个网络站点分摊的资金是十分有限的。

在多数情况下，网络中惟一真正的结局是公开性。因为部分网络增加了用户能够找到其 Web 站点的大量路径。如果这样可以增加网络用户和商业消费者，表明这些路径是有用的。

由商业网络引起的另外一个棘手问题是用户付信息费。付费怎样进行？收入怎样分配？我们发现，在创建在线信息网络的许多尝试中，拥有数据的机构经常不愿做贡献，因为他们担心网络将破坏他们的数据买卖。

如果网络仅仅是松散协同的，那么用户可能在“一对一”的基础上直接支付个人服务给主站点。可问题出现在由网络提供的服务利用了来自大量不同站点的元素，这样付费问题就复杂化了。

例如，假定在商业地理服务中，每个图层由一个独立的站点来维护，在绘制地图的过程中，一个地图建立程序从每个图层获取数据。这种服务基于单个站点，也将接收来自用户的付费。当然，贡献站点期望为他们的数据应用付费。这样就引起了怎样组织站点和付费的问题。有几个可能的价格模型。例如，提供者可能需要计算到每个图层访问的用户的数量，累计应用一个特定数据层的每次少量付费。

实际上，数据和信息的共享是发展一种网络文化领域的问题。将技术付诸实践的时候，先行服务就是在实践中证明这种技术的价值和意义。

6.5 实用信息网络

6.5.1 认证模型

本章前面提到的出版模型提供了一种基本的处理主要信息的方法。可是在许多情况下，信息网络还需要编辑次要信息。信息网络链接了原先独立于网络的各种信息。

一种特别有效的在 Web 上获取状态和视程的方法是签注文件或叫认证文件(Green,1998)。在一定意义上，任何 Web 上的超文本链接都是一种签注文件。可事实上，这只是部分正确的,因为许多站点维持相关链接表列而没有插入任何关于其质量的问题。再进一步，搜索引擎简单地引导包含关键词的站点，而没有任何的质量评估。签注文件不同之处在于索引向导对索引的站点质量作出了特定的解释(Green,1998)。它排除了那些质量无效的站点。

签注文件以如下方式工作：一个检测信息质量的组织签注了一个由满足要求的提供者提供的服务，在实际应用中，这意味着提供了一些标记或标签，使被签注的站点能够放在其主页上。有一些组织就是靠提供签注文件而赢得了声誉。但是一些组织提出了有效的权威的方式，增强了在 Web 环境下的信度(Green,1998)。

签注文件特别适合于发展着的地理信息网络，这是因为任何一种信息都可以在地理分布上进行组织。如商业网点总是分布在一些地方，并从城市或区域用户的购买力中获得利润。同样，政府、学校、各类机构也都是在地理空间上分布的。信息的潜在丰富度意味着任何地理索引都需要彼此连接，而不管信息分布在哪个 Web 站点。签注文件模型提供了一种方便的确保网络索引的事物质量方法。站点或许非常著名，对于签注文件的精确需求也可能会有所变化，但必须强调服务的质量，一些最常用的需求如下：

(1)资源的相关性。

(2)信息的质量，如精度、有效性等。

(3)无不恰当的材料，如色情、暴力、犯罪等。

(4)任何表示要求的一致性。

(5)本质元数据的内涵。

(6)说明资源的稳定性等，如镜像站点拷贝、寻址的稳定性、变化的声明等。

(7)合法性、版权等。

为了检验签注文件的有效性，在引入签注文件前后，对我们管理的一次服务的访问速率进行了检测，结果如图 6-2 所示。可以清楚地看出，签注文件能增加对特定服务的点击率。原因是创建了许多新的途径和方法，可以引导用户寻找自己所关心的服务。

签注文件可以采取诸如提供对索引项的参照、各站点出版信息的参照等形式。

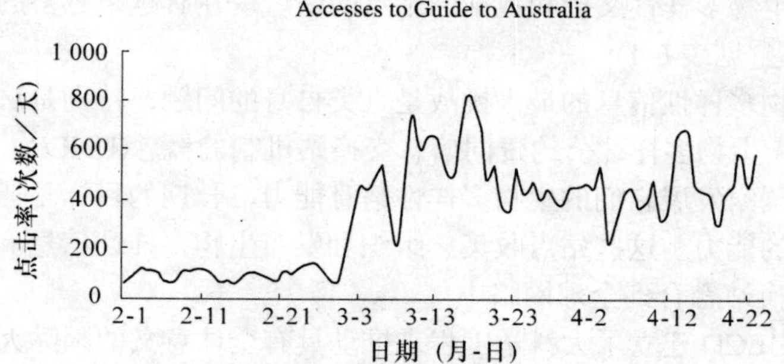

图 6-2　1999 年 Web 交通信息检索实例

6.5.1.1　签注文件的优点

因为签注文件签注了站点和组织机构，所示它具有如下优点：

(1)加强签注组织的权威认证。

(2)在其他站点之间发布发展资料的努力。

(3)鼓励其他站点贡献资料。

(4)有助于分布发展信息系统的努力和投入。

(5)使签注站点强化了在其他站点出版的资料的标准化和质量控制。

(6)扩展了对签注站点的大量联系和参照。

(7)拓展了在所关注领域为签注站点设置议程的潜力。

6.5.1.2　签注站点的优点

签注站点的优点包括：

(1)增加了出版物的可信度。

(2)扩展了连接和参照站点的范围。

(3)公共认证。

(4)具有权威的隶属关系。

在 Internet 上也有许多低层的签注文件形式，例如：

(1)WWW 虚拟图书馆就是一个异地拥有和管理的索引列表。

(2)几个站点试图为自己赢得声誉，通过给其他站点提供标记或判决。

(3)针对特定主题，试图提供服务的许多站点成为先锋。

签注文件隐含认可、赞同的意思，对签注文件提供项目的贡献者需要知道什么是他们所期望的，需求列表需要保证签注项是适当的。

6.5.2　地理信息网络举例

在线地理服务是一种有效的信息网络。Internet 具有发展全球生物多样性信息系统的潜力，随着 WWW 的传播，20 世纪 90 年代，我们注意到编辑在线生物多样性信息的国际合作计划得到了长足的发展。

网络合作对生物多样性在线信息的获取起了很大的推动作用，如生物分类命名法和生物物种清单发展了世界物种连续参照表。许多国际合作计划对全球生物多样性在线信息给予了高度关注。如植物信息国际组织(IOPE)发展了世界植物种属表列(Burdet,1992)。物种 2000 工程也有相似的目标(IUBS，1998)。同时，生物多样性信息网络(BIN21)建立了编纂不同大陆生物多样性文摘和数据的站点网络。现在有越来越多的在线信息网络关注环境和资源问题(见表 6-1)。

整理归类生物多样性信息的最大挑战是人类自身的问题，特别是法律和政治问题，而不是技术问题。生物多样性公约赞同信息交换站机制的概念(UNEP，1995)。该计划的目的是帮助一些国家发展它们的生物多样性信息能力。长期的目标是通过信息交换站系统增强访问信息的能力。这些站点收集、组织和发布生物多样性信息。目前面临的挑战是将这些信息交换站融合到全球网络中。

在 1994 年,OECD 建立了大科学工程来推动具有全球意义的国际大科学计划(Hardy, 1998)。人类基因工程即是其中之一。另一个是建立全球生物多样性信息基础设施(GBIF)的建议，GBIF 的目标是建立“一个基于 Internet 的公共访问系统，通过 180 多个全球物种数据库，访问全球已知的物种”。

一些主要的行业也开展了类似的工作，如 1996 年国际林业研究组织(IUFRO)建立了一个国际信息网络，1998 年开始发展全球林业信息系统(IUFRO，1998)。

表 6-1　一些在线生物多样性服务和网站

组织机构	Web 站点*
CIESIN	www.ciesin.org/
Clearing-House Mechanism of the Convention on Biological Diversity	www.biodiv.org/chm.html
DIVERSITAS	www.icsu.org/ DIVERSITAS/
Environment Australia	www.environment.gov.au/
European Environment Information and Observation Network(EIONET)	www.eionet.eu.int/
Global Biodiversity Information Facility(GBIF)	www.gbif.org/
International Legume Database & Information Service(ILDIS)	Biodiversitiy.soton.ac.uk/legumeWeb
International organization for Plant Information(IOPI)	Life.csu.edu.au/iopi
International Union of Forestry research organization (IUFRO)	iufro.boku.ac.at
Species 2000	www.species2000.org/ www.sp2000.org/
Tree of Life	Phylogeny.Arizona.edu/tree/phylogeny.html/
United Nations Environment Programme(UNEP)	www.unep.org/
USDA IT IS	Plants.usda.gov/itis
Worl Conservation Monitoring Centre(WCMC)	www.wcmc.org.uk/

注：*所有站点都应该加一前缀 http://。

6.5.3 信息网络的前景

建立信息网络面临许多技术难题，如协作更新、发展和维护的问题。这些问题已经引起了有关国际组织的高度重视，W3C 制定了一些新的标准，如资源描述框架(第 8 章将进行详细分析)，提高了元数据用于在线信息资源协同和连接的能力。在接下来的 4 章中，我们将更详细地讨论这些问题。

第 7 章　分布式对象和 OpenGIS

本章我们讨论在线 GIS 和空间元数据之间的桥梁。我们研究的框架，是 OpenGIS 协会的 OpenGIS 标准的一部分，它不仅提供分布式空间数据处理模型，而且提供优秀的空间元数据模型。因此，本章是十分关键的。前面我们已经讨论了有关 GIS 的操作问题，现在我们继续深入探讨元数据的内容。我们将构建全球元数据并考察它如何应用于 GIS。GIS 元数据在描述对象内容方面有其优势，而在发现和探索技术方面存在不足。

开发商正在努力工作以提供 GIS 的 Web 访问。如 MapInfo 可以在局域网上运行，以文件方式共享图形数据，以 ODBC 方式访问属性数据库，其 SpatialWare 可以使用 Oracle 等大型数据库来管理图形数据。MapX 是用于用户化开发的控件，可以直接与 SpatialWare 交互。ProServer 是 MapInfo 公司用于在 Internet 上出版地图数据的服务软件，主要通过调用多个 MapInfo 实例来提供数据出版与转换服务。

本章包括大量的底层开发程序，对熟悉 C++或 Java 的用户来说，应该很容易理解。这么做有两个动机：一是这些概念和工具构成了 OpenGIS 规范的主要内容，二是我们能够看到 GIS 网络的复杂性。在 Web 中，采用简单的模型，文档包含指向数据的指针。当我们要操作远程服务器或要求条件查询时，会遇到许多桌面系统不曾遇到的困难。

7.1　标准化组织

在本项工作中两个组织起着十分关键的作用：一是对象管理集团(OMG)，二是 OpenGIS 协会(OGC)。

OMG 是以美国为主体的非盈利性国际组织，其目标是为在计算机网络上独立开发的应用软件建立一个相互之间互操作的标准。OMG 的成员已包括绝大多数信息技术公司和终端用户。公共对象请求代理体系结构(CORBA)是由 IBM、HP 等多家公司联合开发的部件软件体系结构和部件接口标准。支持 CORBA 的对象管理集团已达 750 多家公司，成为一种主导标准，它是一种允许跨 Internet 的不同服务器上的各对象进行交互的框架。OMG 的作用扩展远远超越了 GIS，其中心任务是接纳广泛认可的对象管理体系结构(OMA)或其语境中的接口和规程。OMA 以分布式的对象为集成单位。以对象为基础来构作分布式应用系统的最大优点是对象的封装性；对象的数据和状态只能通过对象上定义的一组运算来访问，而不允许直接存取。因此，易于处理平台的异构性，因为数据表达的互异已被隐藏，从而简化了系统的集成。最初，OMG 在 1990 年制定了对象管理体系结构 OMA，OMA 是比 CORBA 更高一层的概念，它定义了一种体系结构，在 OMA 之上可以用任何方法来实现。CORBA 是其中的一种实现方案。

OGC 是一个更专业的组织，主要关注 GIS 领域。随着 Internet 技术的快速发展，OGC 的作用和意义日益凸显出来。

有大量的制图数据遍及全世界，也存在多种数据格式、数据存储机制、成本计算协议和多种实现互操作的障碍。在 Web 中，分布式对象框架如 CORBA 使融合和匹配不同来源的数据成为现实，至少在理论上是这样的。这也正是 OGC 的使命。

像许多组织一样，OGC 由来自企业、政府、大学等各个部门的人员构成，OGC 的成员分为战略成员、基本成员。OGC 也同 ISO/TC211 等组织机构有密切的联系。我们后面将会涉及 ISO/TC211 的有关问题。OGC 始于美国，现在已经扩展到世界各国，拥有 100 多个成员。

OGC 的顶层是管理委员会，由基本成员和战略成员的代表组成。下设两个基本委员会，即技术委员会和互操作委员会。这些组织通过需求来运作，包括对建议的需求(RTF)、对信息的需求(RFI)、对说明的需求(RFC)、对技术的需求(RFT)。

来自各个方面的这些需求构成抽象的规范，并最终形成软件工程执行的规范。有些规范已经在执行，包括一些战略规划文档。

7.2 在线对象及其元数据：CORBA

在早期的客户/服务器(C/S)模式下，我们需知道数据存放在哪里(是在服务器里还是在客户机里)，我们需知道我们提取信息所用的语言。但是现在，我们无需知道服务器在哪里、支持的语言是什么、管理哪个对象。

在分布式对象模型中，要满足客户进行远程操作，如添加、删除或恢复信息。CORBA 正是一种适合分布式对象的系统。它有两个优点：独立于所用的程序语言，得到 OMG 的支持。

简单地分析 CORBA 的定义，思考我们需要什么：

(1)我们需要一个关于对象的元数据。描述元数据需要做什么？我们怎样访问它？但我们无须知道怎样做，这是面向对象思想中隐含的关键思想。我们需要能够描述对象的接口而不需要知道它运行的细节。

(2)我们需要在某个地方存储这些信息(是不是在界面库(IR)中)。当然，我们需要一种发现 IRs 的机制。

(3)我们需要运行库，存储实际对象代码本身运行的信息。

(4)跟任何其他系统一样，可能会有命名冲突，所以我们需要给对象指定惟一的命名或地址。

(5)我们需要一种发现未知对象的机制，服务于特定的目的而无须知道他们在哪里以及他们是什么。

(6)我们需要一种通讯协议，用于对服务器发出请求。

正如我们所想像的，在服务器维持的对象采集和界面顶层，我们需要索引和过渡机制。CORBA 能提供大约 16 种服务。

7.2.1 接口/实现

在面向对象(OO)中增加的重要概念之一是接口。在对象模型中，一个对象拥有自己的数据并控制这些数据，其他软件不能直接访问这些数据。访问是惟一遍历对象的方法。因此，必须有一个接口与外部世界相连接，让全世界都能看到。

对象怎样存储和管理它的数据，这对于外部世界来说是不可见的。事实上，实现接口需要多个程序，每个程序承担不同的功能。例如，计算两个城市间的最短距离的问题。

这种数据可能仅仅以表的形式存储，我们可以通过曲线融合算法来进行计算。

接口的思想特别有用。当我们有一些旧的数据，想把它们与当前的软件联系起来，这些数据是遗产数据和代码。许多部门有许多旧的程序在相应的操作系统下运行非常良好，当操作系统更新换代后也无人打算去更新或重写它们以适应新的操作系统。我们可以把它们封装起来，置于现在的接口中，这样其他的软件也可以使用它。

我们可能想扩展遗产数据到其他应用，把它们与数据仓库合并，或简单地将其与其他数据系统融合。既然获取和维持空间数据是如此破费，那么遗产数据在空间世界中的再利用就是一个大问题。

让我们来看看接口怎样与地图一道工作。我们有一组中国地图，每幅地图都有空间边界、比例尺，可能还有其他细节。该组地图的每个特征由所有单幅地图共享，每幅地图添加一些特定数据。我们就说每幅地图继承了父特征，是父地图的子类。假设我们有一幅反映白酒酿造厂分布的专题地图，因为酿造厂是分布于全国各地的，从东到西，从南到北，我们可以想像该幅地图为不同的地区所拥有并保存在不同的服务器上。每幅白酒地图对象可以自行显示，提供关于历史、文化及其他令人感兴趣的事实或故事的信息。

另一幅地图对象可能为滑雪和登山爱好者提供关于大兴安岭的信息。辅助信息可能包括灾害、难度、第一次征服的日期等信息。

在我们所描述的这些系统中，这些信息可能是从不同数据源获取的.所有都要统一在一个公共接口上。建立一个新的系统则要求既能获得登山信息，又能获得白酒酿造厂分布信息。

为保持一个接口尽量通用，我们希望它是完全独立于语言的。从商业利益考虑，统一于一种国际标准是一种好的选择。CORBA 规范可以满足这种需要。

7.2.2 CORBA IDL

CORBA 的第一个构建模块是 IDL——接口定义语言。从事程序工作的读者可能已经意识到了它与 C++的相似性。虽然后者既非第一也非最好的面向对象语言，但它是基于广泛使用的 C 语言的，所以很快就流行开来。Java 程序语言是最理想的 Internet 程序语言，在 Internet 之外，Java 现在正面临着 C++语言的严峻挑战。

下面的程序段表示了与中国地图的接口，图 7-1 表明了这些地图的 UML 模型。

```
module ChinaMaps//
{                                                        (1)
type date string $,<16>$ // ISO…date
type map; // assume defined else where
exception illegalDate
date illegalValue;
string dateTemplate "YYYY-MM-DDThh:mm"//                 (2)

+interface topMap
{    attribute integer sheetNumber;
```

```
        attribute string locale;//
        void printMap();    //generic map printing function          (3)
      - }
    - interface whitewineMap:topoMap;//                              (4)
        {
          map addDistilleryToMap(); //
      - }
    - interface distillery
        {
          +attribute Boolean distilleryTours;
          attribute Boolean cellarDoorSales;
          attribute string address;
          Boolean open(in date);
          Is distillery open?
    +raises illegaldate;
     - }
    interface daxinganling
    {       enum difficulty { easy, medium, hard, severe, extremelySevere}
              +attribute heightInFeet;
              attribute difficulty rating;//                         (5)
              +attribute integer scale;
              Boolean access (in date); //                           (6)
     - }
    interface daxinganlingMap:topoMap
    {       void addDaxinganlingToMap();
    _}
    }
```

在以上程序段中，需要注意的是：

(1)模式名定义了命名空间，所以我们可以惟一地定义拓扑图为 ChinaMap:topoMap。

(2)日期根据 ISO561 给出，由 16 个字符组成的字符串：YYYY-MM-DDThh:mm。

(3)给地图定义一个范围和位置区域，相当于一个元数据集，只是为了说明的需要。

(4)WhitewineMap 类继承了 topoMap。

(5)Daxinganling 的参数是反映登上山顶的困难分级。

(6)这是一个 enumerated 型数据，像在 C 和 C++中一样，我们罗列出了可能的选项。

7.2.2.1 IDL 的作用

上述 IDL 不是程序代码，它不能被激活和运行。它有两个作用：

(1)它通过预编译器运行产生代码，执行网络连接功能。

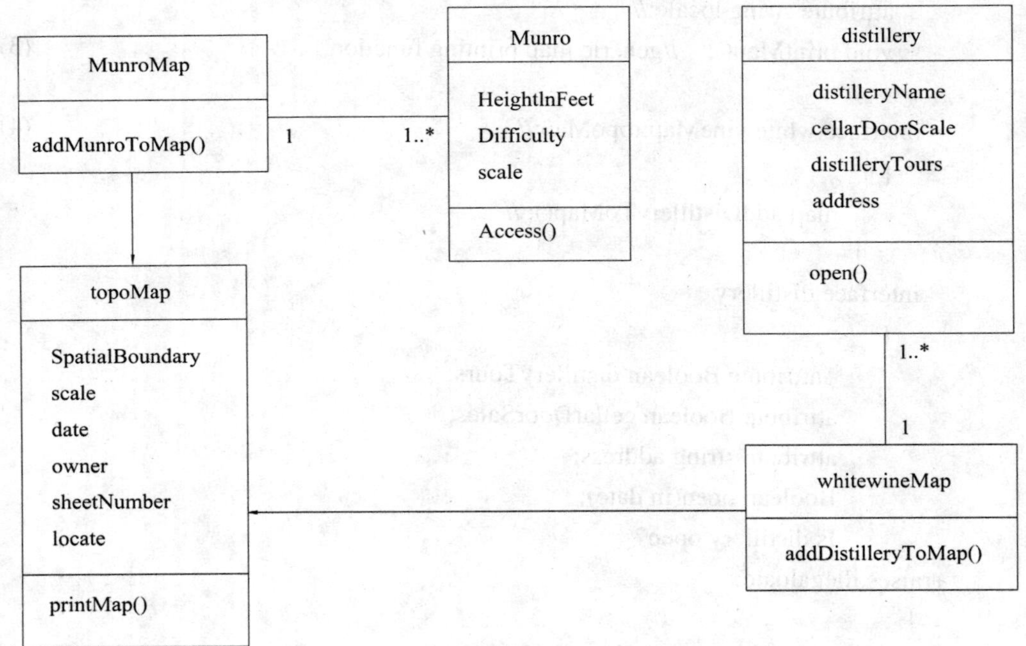

图 7-1　反映中国白酒酿造厂分布的 UML 类图

注：相关的 IDL 见上面的程序段，每个框提供了一个类名、一列属性、一些类操作。联系类的线段表示不同类之间的关系。

(2)它存储在一个全局可视界面库中，用于动态访问。

IDL 提供了用于定义部件/对象边界的中介语言。用 IDL 定义的部件可以在不同的语言、工具、操作系统和网络之间移植，并且能够通过任何厂商提供的 CORBA ORBs 实现部件间的互操作。

IDL 不同于其他的面向对象程序设计语言，它是一种描述性语言而不是编程语言。不能用它指定所定义的类或是方法的具体实现，而应将它作为一种定义底层对象接口的语言。这使得接口定义和对象实现分开，即对对象进行了分层，但是对象之间仍然可以通过 IDL 来进行交互。所以 IDL 是 CORBA 标准中最重要的一部分。应用系统设计中 IDL 设计是至关重要的。

IDL 的一个重要特性是接口继承，这使得在定义新的服务时可以重用现存的接口。

IDL 是为了接口设计的方便而采用的，它可以使设计者容易读懂彼此的接口设计。IDL 编辑器编译 IDL 代码，生成相应编程语言的头文件及客户代理和服务器代理对象。对象及其接口的描述都在 IDL 头文件中。

为了保持 CORBA 的商业中立性和语言中立性，必须有一个中介，存在于像 C++CORBA 服务器代码和 Java/CORBA 客户机这样的实体之间，这就是 IDL。一个底层对象的若干相关方法和属性被 IDL 集入一个单一接口。一旦 IDL 接口定义完成，它可以以桩(stub)代码或骨架(skeleton)代码的形式编译成选用的语言。在所有的 ORB 中都有 IDL 编译器。如 Visigenic Visi Broker for Java ORB 中就含有 Java/IDL 编译器，而 Visigenic Visi Broker for C++ ORB 则提供了 C++/IDL 编译器。

OMG 在定义 IDL 时尽量保持简单，这有利于与许多编程语言兼容，便于语言映射。

缺乏详细编码分析的预编码阶段是很令人困惑的。并非每个人都觉得读编码是一件有趣的事。代码是计算机读数据的手段，是理解计算框架的最好方式。后面我们将会看到我们如何激发一个远程对象。换句话说，在服务器上，我们有一个真实的、活动的对象，而在客户端我们有一个虚拟或代理对象。客户端的行为好像在本地操作对象一样。网络是透明的，但是客户需要获取有关何处寻找远程对象的信息。执行这个任务的代码段通常称为桩(stub),但是客户程序员对它并未给予特别注意。第一段代码段来自预编译器。服务器需要以某种方式插对象代码到网络中，这需要骨架(skeleton)。骨架是由 IDL 预编译器产生的其他基本代码段。

由 IDL 编译器产生的目标代码成对出现，分别为客户端和服务器的映射。产生在客户端的映射通常称为桩(stub)，服务器端的映射称为骨架(skeleton)。这些是可以在编译时静态地分别绑入客户端或服务器端的代码。在编译前，骨架需要对每个方法填充实际的执行代码，而桩基本上是完全的(即不需要补充)。要使用它们，客户端应用只需要调用桩中的方法，以便从对象中请求一个服务。客户端应用在桩上产生一个请求，请求通过骨架进入服务器。对象本身并没有被到处传递，传递的只是引用，因为这样做更为经济。

7.2.2.2 全局名

每个对象需要有全局名称，正如 Internet 上的每台计算机有一个惟一的名称一样。在这种情况下，名称是指仓库 ID，就像一个 URL，它由一个分级体系构成。有两种形式，即 IDL 和 DCE。每个名称有三个层次：

(1)名称的第一部分是两个关键字 IDL 和 DCE 中的一个，后者代表分布式计算环境(开放软件基地标准(OSF 2000))。

(2)第二部分真正代表了所有信息。在 IDL 中是一个典型的 URL；在 DCE 中，是一个惟一代码，指定为 UUID(通用惟一标识号)，由当前的日期、计算机产生代码的网络卡地址、指针值综合组成，最后转换成一个 ASCII 字符串。

(3)最后一部分是版本号，如 1.2.IDL 的意思是主要版本号是 1，次要版本号是 2，而没有版本号问题。

因而，我们可能有：

IDL：clio.mit.csu.edu.au/terry/myobjects:1.5

或

DCE：s6ss8c8z12p4z5:3

这些代码由所谓的指向编译器的 pragma 产生。如：

```
#pragma version junk 3.0//version number for name junk
#pragma prefix "clio.mit.csu.edu.au."//default prefix
```

7.2.3 激活对象

激活对象，实质上意味着对象初始化、匹配内存和其他的管理事务等。如果对象已经存在，那么就填充在数据中。我们也需要一个控制模型，以解决与其他一切事情并行的对象方法怎样运行、他们怎样取代次要线程等问题。这些调出和运行的问题均由对象适配器完成。

CORBA 的第一个版本始于一种称为基本对象适配器的机制。但是各种技术方面的困难跟 Java 中出现的问题一起，导致了 POA(端口对象适配器)的产生。下面，我们将集中讨论这个问题。

7.2.4 端口适配器

ORB 如同网络黏合剂一样，它连接客户到服务器，代理到远程对象。对非常简单的应用，我们不必担心任何其他事情。但大系统和 GIS 系统通常包含大量数据，问题会更加复杂些。它不是保持所有数据、所有对象、所有时间都在线的问题，而是需要以一种透明的方式，把数据移入或移出文件或数据库的机制。这是对象适配器在什么地方投入应用的问题。

CORBA 的第一个版本用了所谓的基本对象适配器(BOA)。事实上，CORBA 规范是非常松散的，在实现上和功能上可能会出现多种情况。因此，BOA 很快被一种新的机制——端口对象适配器(POA)替代。

检索 Web 页面的过程相对直接明了：服务器从文件或数据库中提取一个页面，应用 HTTP 协议将它转换给客户。Web 形式稍复杂些：一个或多个附加的程序在返回到客户端之前被运行，用于预处理数据。与其他程序或后续处理的连接给黑客留下了很多机会，使之能进入 Web 服务器计算机和 CGI 程序，造成了 Web 早期的主要安全黑洞。

因此，激活或探索对象的过程充满复杂性，这没有什么奇怪的。正因为如此，尽管其名称乏味空洞，而 POA 事实上并不是那么简单。实质上，我们需要保持这种实时在线到客户端。但是不同的系统采用不同的策略。这方面的一个简单例子是分层目录文件中的存储和关系数据库存储之间的不同。所有这些对客户都必须是透明的。

POA 的所有细节使我们稍稍远离了我们的中心议题。下面，我们将从概念的角度来分析问题的两个不同方面：一是处理和对象之间的关系，二是对象适配器所采用的不同策略。

7.2.4.1 对象激活

激活一个对象意味着什么呢？对象不是运行在计算机上的过程或程序，它是一种数据和运行代码的集合。实现对服务器的操作是一个过程。对象激活更多的是指对象的初始化和与 CORBA 系统的注册。注册实质上意味着跟 POA 的连接。POA 激活对象有几种方法和一系列的策略。

激活选择可以有以下方式：

(1)共享服务器。这是最常用的方法，每个对象在服务器中成为几个分离的线程。假定我们有一幅地图对象，在上面我们可以添加人们居住的每栋房屋的名称。因为人们时不时地会更换住房，所以我们也需要更新这些居住地的名称。我们不希望看到，人们离开地图读数据时，名称却被改变了，这样会造成混乱。因此，我们需要详细的策略，这对数据库管理是很基本的。一个由 Java 提供的线程库包括所有必需的控制机制。

(2)不共享服务器。这是一种对每个对象创建指示服务器的方法。在需要指示对象的时候，这是有用的，如控制一个设备如打印机。

(3)按照方法匹配服务器。这是一种对每种方法匹配一个新过程的极限方法，这种方法不通用。这种情况主要是各种运行系统运作过程中执行的惯例或过程的操作，如编译访问统计情况。

除处理过程机制外，如果 POA 的对象暂存于服务器中或永驻于服务器中，且在服务器处理终结之后它们继续存在，那么对象就是一种过渡。

可以有多个 POA，但是只能有一个根 POA。添加的 POA 继承了根 POA 的特性，但是需要添加一个或多个专门策略。

7.2.4.2 POA 策略

应用策略，我们可以更深入地进入到 CORBA 对象的管理。简单地说，策略可以有以下选择：

(1)每个对象必须有一个 ID 号。ID 号惟一性策略决定每个对象只有一个惟一的 ID 号，而 ID 分配决定了 ID 号是由服务器指定还是用户指定。我们为什么需要 ID？很简单，远程客户并不关心对象怎样存储，究竟是文件、数据库记录，还是其他什么。每种特定的机制可能需要不同的 ID 机制，这种机制或许是由附加软件如数据库平台提供的。

(2)生命周期决定了对象是瞬时的还是永久的。

(3)其他策略是要有必要的工具。一种工具对 CORBA 对象的实现是很基本的。这需要一个定位器和激发器、工具管理器的子类，也需要关于持续时间和请求处理的策略。这决定了工具/对象 ID 图是保存在活动对象图或随着对象的进入是否请求服务。

7.2.5 企业 Java Beans(EJB)

在大尺度对象管理的发展过程中，采用所谓的 Java Beans 和后来的企业 Java Beans 标准，Java 语言在一定意义上已经超越了原来意义上的 CORBA 规范。

在面向对象的软件工程中，在商业生产率方面，我们有两个大的收益。第一个是封装——软件安全和复用，第二个刚开始是大尺度部件和框架的建立。软件的层对层提供了企业级的软件融合，企业版 Java Beans 标准是一个主要的例子。服务器激活、对象持续性、事务处理控制等所有复杂性现在都隐含在 EJB 框架中。

Java 语言取得了十分重要的进展，它的通用性通过编译由 Java 虚拟机解释的代码表现出来，剩下的就是执行问题了。在后续版本中的最大变化使得软件发展更复杂，不向下兼容(也就是向上兼容)。更糟糕的是，微软和 SUN 之间的诉讼仍在进行，微软退出或被迫退出 Java 是可能的，这将引起软件界的“地震”！

7.2.6 CORBA 服务

交互作用机制全部都嵌入在 CORBA 服务中。始于 1993 年，OMG 已经发布了一系列 RFP(Request for Proposal)。为了我们现在的目的，我们只需要一个小子集。

7.2.6.1 对象命名和定位

命名服务给 Internet 上的任何地方的对象一个惟一名称，同时商业服务又增加了对对象的搜索。这使我们联想起电话号码本的白页和黄页。两个不同的服务允许动态连接、命名、关联，以建立部件之间的联系；服务本身的特性允许部件命名动态连接。

大部分的 ORB 产品都有命名服务。对应用开发者来说，了解命名服务是很重要的。利用命名服务后，应用系统就不必在自己的永久存储中保持对象引用，而只须把管理对象引用的工作代理给单独的服务。

命名服务的关键操作是绑定和释放。绑定就是在服务器目录中增加一个名字，其参数有名字、对象引用，并在特定命名情景中存储为条目。释放时，客户给出特定的对象名，接收返回值：对象应用域例外。

命名服务的基本对象是一些命名情景对象，形成树形结构。命名情景对象具有绑定、释放、再绑定、消灭、绑定情景、绑定新情景、列表等操作。命名服务需要绑定重复对象时，有下一个、下 N 个、消灭等操作。

要充分发挥命名服务的作用，常要求应用的开发人员特别是系统管理人员制定一些约定用法：

(1)局部命名模式：命名情景结构和扩充情景的规则。

(2)局部命名约定：熟知的名字、新名字约定、类型域的语义和值。

7.2.6.2 对象存储和访问

阻碍对象一直可用的持续性服务未来将长期存在。这实质上类似于一个透明的档案服务，通常挂到数据库中，但是复杂的细节不是我们在这里所关心的。

在关系数据库、对象或混合数据库或简单的文件中，对象可以以各种方式存储。事实上，传统 GIS 软件包如 ARC/INFO，可以采用不同的数据库如 Oracle、Informix 等。持续性服务是由关系数据库和对象数据库支持的，持续性服务包括以下部件：

(1)持续对象管理器(POM)以 OMG IDL 与持续对象和持续性服务通信。

(2)对持续对象分配一个 PID(持续性标识)。

(3)把 POM 身份状态映射回持续数据的服务(PDS)。

(4)协议标签——对持续数据服务命名。

当前已规定了以下三个持续性协议：

(1)直接存取(DA)协议。用 IDL 的子集——数据定义语言 DDL 来定义对象的持续状态。DDL 描述了对象的私有信息。只有对象的实现及对象的存储机制了解对象的私有状态信息。

(2)ODMG—93 规格说明。这是由面向对象数据库厂商组成的团体 ODMG 在 1993 年提出的协议。

(3)动态数据对象(DDC)协议。规定给持续对象的持续性一个以字符串为值的名字作为持续性值，用 CORBA 中的 any 类型来存储，从而可以在运行时动态确定完整的持续状态。该协议比 DA 协议更灵活，因为 DA 协议要求在软件编译时必须确定持续性状态。

其他的服务还有生命周期服务、采集服务、具体化服务等。

7.2.6.3 对象管理

虽然在全球范围自由访问数据和 Web 应用的方案非常诱人，但是也带来了一些管理上的问题，如数据的一致性、访问权限等。在任何数据库系统中，事务处理的真实性是核心要求，在 CORBA 中有相似的服务：并发性——在多人同时访问数据时，为防止数据中断，需要提供密钥。事务服务管理并发服务的两个阶段提交过程为同步和访问控制。另外，还有时间服务。

除了确保尽可能多的用户访问和更新这类技术问题，为用户设置访问权限也是必需的。许可证服务用于测度用户应用水平级别，而安全服务用于处理用户身份验证等问题。

7.2.6.3.1 并发服务

并发服务是为保证完整访问分布对象的一种通用服务。这一服务扩充了适用于单个操作系统的非分布性服务的能力。并发服务在分布环境上提供同步，可在状态信息改变时封锁个别对象或一组对象，以实现访问的完整性。以前，并发控制的能力是由操作系统提供，并和语言有关，难以扩充到分布系统。并发服务在分布环境中具有可移植性，可跨多种操作系统和多种语言有效地利用并发服务所带来的好处。

并发服务的关键接口有封锁设置、事务封锁设置、封锁设置工厂和封锁协调接口。其核心接口是封锁设置接口，包括对象的封锁和去封锁的操作。对于对象来说，存在许多种类的封锁条件。

并发服务已有详细的并发理论，因此对并发服务来说情况有些特殊。应用开发差不多已经有了所有必要的并发服务的接口，即制定并发服务的规格说明书看来是不必要的。重要的是让应用确定封锁的常规，作为框架要求来保证互操作性，并避免死锁或活锁。封锁模式很多，基于允许多次读出及一次写入的有以下几种情况：读锁、写锁、更新锁、有意读锁、有意写锁。其中最基本的封锁模式是读锁和写锁，写锁允许应用的多个客户同时读对象的状态信息。

此外，不同对象层次的封锁可用层次间隔锁定管理器来管理并发。

7.2.6.3.2　许可证服务

许可证服务支持某些通用接口灵活保护知识产权，是电子商务的根本性的关键服务。许可证在某些方面与安全很接近，但很多方面是不同的，它更具有技术挑战性。安全问题通常考虑在企业环境内部控制计算资源，许可证服务要求在广泛的外部环境中考虑控制知识产权和软件。也就是说，一方面用户不能直接访问企业内部资源，同时又强调给用户以适当的访问权限。

许可证服务的发展前景是，以比目前许可证管理下的应用更小的粒度来发放许可证。

7.2.6.3.3　安全服务

安全服务目前已经和定时服务联合起来了。为了有效实现对象安全服务，根本保证是定时服务。对象的安全服务与其他对象服务甚为不同，它将直接卷入和改变现存的 ORB 需求。不能把安全想像成一种完全独立的服务，如同其他应用对象一样都放在同一层面上。为了提高效率，安全性服务要与 ORB 直接交互。关键的一点是要求 ORB 支持安全服务，在内部进行交互可大大减小对应用的影响。

OMG 的安全服务涉及许多重要的安全问题，如密级、完整性、责任区、可用性和不拒。安全服务的功能有访问控制、审定、授权和策略制定，该服务按不同级别的用户感知来实现。用户在使用安全服务时不改变应用软件，就可以调节安全级别。

定时服务支持在分布环境中进行恢复和时钟同步。分布时钟的同步是很有意义的理论问题。现在有关时钟同步的技术已利用本地生成的或来自政府部门的射频信号，使时钟更为精确。

7.2.6.4　对象应用

最后，我们还是要回到应用这些远程对象上。我们有一种类似于 SQL3 的查询语言，满足基于事件的触发行为，由事件服务控制。

7.2.7 CORBA 的实用性

明白 CORBA 是一种规范是很重要的。它不是一个软件包，而是一套软件规范。在实践中，各种 CORBA 实现都缺乏一些服务。是否完全实现的问题将具体化，在这个阶段是否某些特征发展成标准还很难说，Java 有一套类似于 CORBA 和 CORBA 派生的分布式对象库，但是 Java 没有 CORBA 规范，也可能不执行全部 CORBA 规范。

CORBA 定义了分布式对象如何实现互操作。在 WWW(World Wide Web)盛行之前，特别是 Java 编程语言风靡之前，C++开发者基本将 CORBA 作为其高端分布式对象的解决方案。CORBA 对象可以用任何一种 CORBA 软件开发商所支持的语言，如 C、C++、Java、Ada 和 Smalltalk 来编写。

使用 IDL 编写的对象接口，使得与语言无关的独立性成为可能。IDL 使得所有 CORBA 对象以一种方式被描述，仅仅需要一个由本地语言(C/C++、CORBA、Java)到 IDL 的“桥梁”。CORBA 对象的互通信要以对象请求代理(Object Request Broker,ORB)为中介，这种互通可以在多种流行通信协议上(如 TCP/IP 或 IPX/SPX)实现。在 TCP/IP 上，来自于不同开发商的 ORB 用 Internet Inter Orb 协议(IIOP)进行通信。IIOP 是 ORB 保证对象间互操作的必要的通信协议，是 CORBA2.0 标准的一部分。

当前，CORBA 对于流行的操作系统如 Windows、Unix 系列都有很好的支持。也就是说，CORBA 对象可以运行在任何一种 CORBA 软件开发商所支持的平台上，如 Solaris、Windows95/NT、Open VMS、Unix 等。换句话说，我们可以在 Windows95 下运行 Java 应用程序，同时动态调入并使用 C++对象。而实际上，该对象可能存储于一个在 Internet 上的 Unix Web 服务器上。目前，对于较为流行的编程语言，已经有了许多第三方的 ORB。随着其他语言的逐渐流行，CORBA 开发商毫无疑问地要作出相应的 ORB 来支持它们。

OpenGIS 协会已经发布了 IDL，满足大量空间信息处理任务。对于广泛的空间分布对象的发展，IDL 可能是有价值的，但是解决起来还是有些困难。在世界的大部分地区，空间数据很昂贵，需要投入大量资金。为把数据提供在线应用，需要一个电子商务模型。

7.2.8 简单特征规范

CORBA IDL 绑定包括几何绑定和特征绑定。现在我们来依次分析它们。

7.2.8.1 几何绑定

在大多数 GIS 软件包中，主要的操作是矢量操作。这些操作直接明了。如 primeMeridianInterface 定义与格林尼治本初子午线相关的本初子午线如下：

```
interface PrimeMeridian: SpatialReferenceInfo
{
    attribute double longitude;
    attribute AngularUnit angular_units;
}
```

Spatial Reference Info 接口与欧洲石油测量工作组(OPSG)、石油化学开放软件协会(PSOC)密切合作，提供了一套通用属性：

```
Interface SpatialReferenceInfo
{
    attribute string name;
    attribute string authority;
```

```
        attribute long code;
        attribute string alias;
        attribute string abbreviation;
        attribute string remarks;
        readonly attribute string well_known_text;
    }
```

综合的接口集包含椭球、线段、角度、坐标系统等。

对所有空间参照系统，Spatial Reference System 接口是一个父抽象类。该父类给出了接口，如地理坐标系统和大地空间参照系。

7.2.8.2 特征模型

特征既有空间内容，也有非空间内容。例如，城市有名称和人口(字符串)，也有坐标、空间内容、地图和其他空间参数。在 IDL 接口中定义的特征由特征类、特性和几何体组成。

IDL 的相关部分如下：

```
Interface Feature
{
    exception PropertyNoteSet {} :   // one of a number of property error exceptions
    exception InvalidProperty {};
    exception InvalidParams { string why;};
    readonly attribute FeatureType feature_type;
    Geometry get_geometry ( in string name) raises (InvalidParams);
    Boolean property_exists(in string name) raises (InvalidProperty);
    Any get_property( in string name) raises (PropertyNotSet);
    Void set_property ( in string name, in any value) raises (InvalidProperty);
}
```

特性由任意类型的名称值对获取。Feature Type 被提交给各个接口，与之相伴的是 OOT 模式的产生。Factories 用于创建特征样例。特征也可以归入特征采集组，它们有与之相关的特定特征容器，它们也可以是通过一些特性连接在一起的松散的采集，如城市的最小人口规模。与采集一道而来的另一项标准 OOT 技术是迭代模式，允许我们逐步通过采集元素而不必访问其内部表达。OOT 技术的先行者是 Gamma(Gamma 等，1995)。

特征采集也支持查询接口，所用的名称是 Query Table Feature Collection。实现细节将取决于包含这些特征的数据库的性质。

7.2.9 OGC 元数据

在 OGC 中，元数据的抽象规范看起来是非常有前景的。它建立在 OO 模型基础上，这样有很大的优势：

(1)父值的有效继承。

(2)信息重复中的最小冗余度。

(3)容易写的快速精确搜索算法。

在顶层，每个特征采集(Feature Collection)具有强制性特性，反映元数据的名称和元数据对象的 ID 值。这些值可视为空，表明没有元数据被记录。采集中的每个特征也可以有元数据特性，但是这是可选的。

元数据实体对象本身是元数据集的子类，元数据实体为本身的子类提供特定信息应用，如道路特性。

7.3 地理标识语言

OGC 的另一个重要贡献是 GML——地理标识语言。对地理信息为什么还有另外一种标识语言？在第 5 章我们已经研究了 XML 和相关标准，现在来分析 GML。

(1)隐含元数据。通过有地理意义的标记，我们能基于文本进行相关的空间搜索。虽然有快速的移动搜索指针，但是基于影像查询进行的影像搜索是很困难的，犹如大海捞针。辅助文本标识是一种围绕该问题的方法，正如我们已经看到的，标识携有隐含数据。

(2)一种快速传送地理数据到 Web 浏览器的方法。正如我们在第 4 章看到的，在 Web 上有明确的矢量图形标准，所以我们能够直接用 SVG 标识我们的地图数据。但是这样做的灵活性实在太差。如浏览器分辨率的变化、可能被有感应障碍的人使用、网络速度的变化等，有许多理由限制 Web 页的传递。GML 是用 XML 写的，所以我们可以很容易地把它转换成其他的 XML 模式，这样有许多可用的工具。事实上，到 SVG 的转换可能是用于多数 GML 显示目的的可选择的方法。

OGC 工作图解——RFC1.0 版本在 1999 年 12 月发布，还处于比较早期的发展阶段。现在讨论其结构特征，看来是可能的，最终的版本将会有许多大的变化。因此，我们将认真地来分析一些例子，逐步地进入标准。任何对创建 GML 文档或 GML 实现感兴趣的人，应该经常登录 Web 站点，了解其最近的发展。

一个完整的 GML 规范由特征采集组成，有两个部件：

(1)空间参照系统，有其惟一的 DTD。

(2)特征的采集，每个特征有空间和非空间元素。

我们通过建立几何元素开始讨论，然后绑定成为特征，最后是特征采集。参考图 7-2，我们开始一项基本构造。

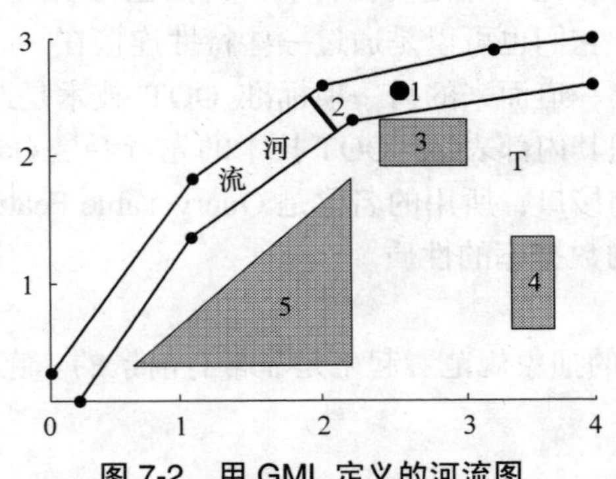

图 7-2 用 GML 定义的河流图

1—浅水标记；2—穿过河流的绳索桥；3—船坞；4—小亭；5—汽车停车场；T—电话

点定义如下：

```
<Geometry name="location″ srsName=″ swift1701″ >
    <point>
    <Clist>3.2    1.8 </Clist>
    </point>
</Geometry>
```

点本身就是由基本元素组成的，即坐标表或 Clist，在这种情况下仅有一个数组。坐标是真实世界的坐标，用空间参照系 swift1701 描述。

我们可以通过打包把这些元素写入特征中。

```
<Feature featureType="telephone″ fid="1″ name="Riverside Phone">
    <Description> The phone by the river</Decription>
    <Property name="number″ type="integer"> 633901013
        </Property>
        <Geometry name="location″srsName="swift1701″>
            <Point>
                <Clist>3.2    1.8 </Clist>
            </Point>
        </Geometry>
</Feature>
```

该特征已经添加了一个特征描述和任意大量特性中的一个，如电话号码。Fid 只是一个惟一标识符。我们使读者想起该规范不是最后的定案，关于特征构造的准确性质尚有争议。另外，一种可能是在 ISO TC211 XML 中定义主题词表，对特征类型的定义为：在地图上，我们已经有一个或多个点元素，该标记(flag)在河流中。在此，它作为一个特征：

```
<Feature featureType="flag″ fid="2″ name="flag02">
    <Description> Shallow water flagr</Decription>
    <Property name="flagCode″ type="string"> W</ Property>
        <Geometry name="location″srsName="swift1701″>
            <Point>
                <Clist>2.5    2.5 </Clist>
            </Point>
        </Geometry>
</Feature>
```

现在考虑复杂些的问题，来看看绳索桥。在该比例尺地图上，我们将其视为线。没有单独的线构造，仅有线段的坐标串，其坐标列表由空格键分隔：

```
<Feature featureType="structure″ fid="8″ name="Gulliver bridge″>
    <Description> Rope bridge across the river</Decription>
    <Geometry name="centreline″srsName="swift1701″>
        <LineString>
            <Clist>2.1    2.1    1.9    2.4</Clist>
```

```
        </LineStringt>
    </Geometry>
</Feature>
```

我们始终重复 srsName，事实上，它对每个几何实体是不同的。当我们分析河流时，我们用每个编码的数据集作为一个线串，两个数据集连在一起构成一个几何采集。当前的规范不允许我们把名称和 srsName 放在采集层中，这方面还有很多事情要做。更重要的是特征和几何实体之间的联系可能要从属于修订版规范。

```
<Feature featureType="flag" fid="3" name="river Lilli">
    <Description> Delineates the river Lilli</Decription>
    <Feature featureType="riverBank" fid="4" name="North Bank">
        <Description> North bank of the river</Decription>
    <Geometry name="boundary"srsName="swift1701">
        <LineString>
            <Clist>
                0.0   0.2   1.0   1.7   2.0   2.4   3.2   2.8   4.0   3.0
            </Clist>
        </LineStringt>
    </Geometry>
</Feature>

<Feature featureType="riverBank" fid="5" name="South Bank">
        <Description> South bank of the river </Decription>
        <Geometry name="boundary"srsName="swift1701">
            <LineString>
                <Clist>
                    0.2   0.0   1.1   1.3   2.3   3.2   2.8   4.0   2.7
                </Clist>
            </LineStringt>
        </Geometry>
    </Feature>
</Feature>
```

现在来看地图的另外三个特征，每个都表达为多边形。一个多边形就是一系列首尾坐标相同的点的闭合环。

```
<Feature featureType="carpark" fid="6" name="Car Park 1">
    <Description>
        Car Park 1 of the recreational area
    </Decription>
    <Geometry name="extent"srsName="swift1701">
```

```
            <Polygon>
                <Clist>
                    0.7   0.3   2.3   1.8   2.3   0.3
                </Clist>
            </Polygon>
        </Geometry>
    </Feature>
```

建筑物可以用相似的方式表达：

```
    <Feature featureType="building" fid="7" name="Park building">
        <Description>
            Building owned by the Park authority
        </Decription>
        <Feature featureType="building " fid="4" name="boatshed">
            <Description> Boat shed for canoes</Decription>
            <Geometry name="extent"srsName="swift1701">
                <Polygon>
                    <Clist>
                        0.0   0.2   1.0   1.7   2.0   2.4   3.2   2.8   4.0   3.0
                    </Clist>
                </Polygon>
            </Geometry>
        </Feature>

    <Feature featureType="building" fid="4" name="Kiosk">
        <Description>
                Refreshment kiosk
        </Decription>
        <Geometry name="extent"srsName="swift1701">
                <Polygon>
                    <Clist>
                        3.4   0.7   3.7   0.7   3.7   1.2   3.4   1.2
                    </Clist>
                </Polygon>
            </Geometry>
        </Feature>
    </Feature>
```

现在离完成特征集还有半步之遥。下面我们必须做的是创建空间参照系(SRS)。有三种参照系，分别为投影参照系、地理参照系、地心参照系。在我们的例子中将应用投影参照系，名称为 swift1701。

```
<SpatialReferenceSystem srsname="swift1701">
<Projection name="River Park">
</ Projection>
```

然后，我们必须添加一些信息，规定线的单位以及怎样与位置相关联。首先，单位和转换因素都用米。

```
<LinearUnit>
    <Name>Pole</Name>
    <conversionFactor> 198/39.37</ conversionFactor>
</LinearUnit>
```

与地球表面的关系出现在地理标记中，我们规定了一个数据、椭球体、本初子午线。

```
<Geographic name="swift1701:geo">
    <Datum>
        <DatumName>Swift_lilliput_Datum_1701M/DatumName>
        <Spheroid>
            <SpheroidName>Swift 1695</SpheroidName>
            <InverseFlattening>305.112</ InverseFlattening>
            <SemiMajorAxis>5944127.1</SemiMajorAxis>
        </Spheroid>
    <Datum>
    <AngularUnit>
        <Name>Decimal Degree</Name>
        <ConversionFactor> π /180</ConversionFactor>
    </AngularUnit>
    <PrimeMeridian>
        <Name>Lilliput Meridian</Name>
        <Meridian>0   0   0</Meridian>
    </ PrimeMeridian>
</Geographic
```

最后，是投影本身的表达：

```
<Projection>Swift_Conformal_Conic_Projection</Projection>
```

一个更小的项留给 FeatureCollection,其边框描述为：

```
<BoundingBox>
    <Clist>0.0   0.0   4.0   4.0 </Clist>
</BoundingBox>
```

下面给出了最后的汇总。注意这个例子是基于 OGC DTDs 的，但正如我们在第 6 章看到的，未来更可能用于 XML 中。例子的程序看来很冗长，但是事实上，与影像或数据库格式相比，ASCII 文本通常是很方便存储的。这种服务于多种功能的标识语言是一种自描述性的语言，通过标记名称添加隐含的元数据。它可以转换成任何一种表达格式，如 SVG；它也可以通过基于文本的引擎来搜索和索引。

```
<FeatureCollection>
    <SpatialReferenceSystem srsname="swift1701">
        <Projected name="River Park">
            <LinearUnit>
                <Name>Pole</Name>
                <conversionFactor> 198/39.37</ conversionFactor>
            </LinearUnit>
            <Geographic name="swift1701:geo">
            <Datum>
                <DatumName>Swift_lilliput_Datum_1701M/DatumName>
                <Spheroid>
                    < SpheroidName>Swift 1695</SpheroidName>
                    <InverseFlattening>305.112</ InverseFlattening>
                    <SemiMajorAxis>5944127.1</SemiMajorAxis>
                </Spheroid>
            <Datum>
            <AngularUnit>
                <Name>Decimal Degree</Name>
                <ConversionFactor> π /180</ConversionFactor>
            </AngularUnit>
            <PrimeMeridian>
                <Name>Lilliput Meridian</Name>
                <Meridian>0   0   0</Meridian>
            </ PrimeMeridian>
            </Geographic>
            <Projection>Swift_Conformal_Conic_Projection</Projection>
        </Projected name>
    </SpatialReferenceSystem srsname="swift1701">
    <BoundingBox>
        <Clist>0.0  0.0   4.0  4.0 </Clist>
    </BoundingBox>

<Feature featureType="telephone" fid="1" name="Riverside Phone">
    <Description> The phone by the river</Decription>
    <Property name="number" type="integer"> 633901013
    </Property>
```

```
        <Geometry name="location"srsName="swift1701">
            <Point>
                <Clist>3.2    1.8 </Clist>
            </Point>
        </Geometry>
    </Feature>
    <Feature featureType="flag" fid="2" name="flag02">
        <Description> Shallow water flag</Decription>
        <Property name="flagCode" type="string"> W</ Property>
            <Geometry name="location"srsName="swift1701">
                <Point>
                        <Clist>2.5    2.5 </Clist>
                </Point>
            </Geometry>
    </Feature>
    <Feature featureType="structure" fid="8" name="Gulliver bridge">
        <Description> Rope bridge across the river</Decription>
            <Geometry name="centreline"srsName="swift1701">
                <LineString>
                        <Clist>2.1    2.1    1.9    2.4</Clist>
                </LineStringt>
            </Geometry>
    </Feature>

    <Feature featureType="flag" fid="3" name="river Lilli">
        <Description> Delineates the river Lilli</Decription>
        <Feature featureType="riverBank" fid="4" name="North Bank">
            <Description> North bank of the river</Decription>
            <Geometry name="boundary"srsName="swift1701">
                <LineString>
                    <Clist>
                            0.0  0.2  1.0  1.7  2.0  2.4   3.2  2.8    4.0   3.0
                    </Clist>
                </LineStringt>
            </Geometry>
    </Feature>

    <Feature featureType="riverBank" fid="5" name="South Bank">
```

```
        <Description> South bank of the river </Decription>
        <Geometry name="boundary"srsName="swift1701">
            <LineString>
                <Clist>
                    0.2  0.0  1.1  1.3  2.3  3.2  2.8  4.0  2.7
                </Clist>
            </LineStringt>
        </Geometry>
    </Feature>
</Feature>

<Feature featureType="Car Park" fid="6" name="Car Park 1">
    <Description>
        Car Park 1 of the recreational area
    </Decription>
    <Geometry name="extent"srsName="swift1701">
        <Polygon>
            <Clist>
                0.7  0.3  2.3  1.8  2.3  0.3
            </Clist>
        </Polygon>
    </Geometry>
</Feature>

<Feature featureType="building" fid="7" name="Park building">
    <Description>
        Building owned by the Park authority
    </Decription>
<Feature featureType="building " fid="4" name="boatshed">
    <Description> Boat shed for canoes</Decription>
    <Geometry name="extent"srsName="swift1701">
        <Polygon>
            <Clist>
                0.0  0.2  1.0  1.7  2.0  2.4  3.2  2.8  4.0  3.0
            </Clist>
        </Polygon>
    </Geometry>
</Feature>
```

```
<Feature featureType="building" fid="4" name="Kiosk">
    <Description>
            Refreshment kiosk
    </Decription>
    <Geometry name="extent" srsName="swift1701">
            <Polygon>
                <Clist>
                    3.4  0.7  3.7  0.7  3.7  1.2  3.4  1.2
                </Clist>
            </Polygon>
        </Geometry>
    </Feature>
</Feature>

</FeatureCollection>
```

7.4 OpenGIS

OpenGIS 是指开放的地学数据互操作规范(Open Geo-data Interoperability Specification，简称 OpenGIS)的最高层次，一般称为 OpenGIS 规范。

OpenGIS 规范是由开放地理信息系统协会(Open GIS Consortium，简称 OGC)制定的一系列开放标准接口。OGC 由商业部门、政府机构、用户以及数据提供商等多个领域的成员组成。

OpenGIS 规范是 OGC 规范的最高层次，即有关地理处理互操作的完整定义。开放地理数据互操作规范(OGOS)是利用软件规范统一表示地理数据和地理处理的规范系统。

OGC 的目的是通过信息基础设施，把地理空间数据和地理处理资源集成到主流的计算机技术中，促使可互操作的商业地理信息处理软件的广泛应用。OpenGIS 规范提供了地理信息及处理标准，按照这个规范开发的各个系统之间可以自由地交换地理信息和处理功能。

OGC 是惟一一个由各个成员组成的用于开发地理操作开放系统方法的组织。通过它的协调发展，OGC 在全球地理数据和地理处理标准方面已形成了很大的影响，并成功地促进了 OpenGIS 技术的发展。OpenGIS 技术是把地理处理与企业的分布计算体系和 Internet 组成在一起的一种技术。

7.4.1 OpenGIS 的作用

我们面临的时代是一个分布式的网络计算时代。我们可以用一个统一的地理处理获取规范接口，即 OpenGIS 规范，使全球的地理信息连接在一起。通过把分布式计算、对象技术、中间件软件以及组件软件等引入地理处理世界，可以使任何计算环境或计算任务与空间数据联系在一起。同时，我们看到，随着卫星传感器、GPS 技术的发展以及参与地理信息研究、生产、获取和使用的人员的增加，地理数据的增长速度在明显地加快。OpenGIS 规范的作用见图 7-3。通过 OpenGIS 规范把商业部门、集成部门、用户、研究人员、数据提供商等连接到一起，通过必要的软件工具和通信技术，为各种用户提供对地理信息的共享和互操作。

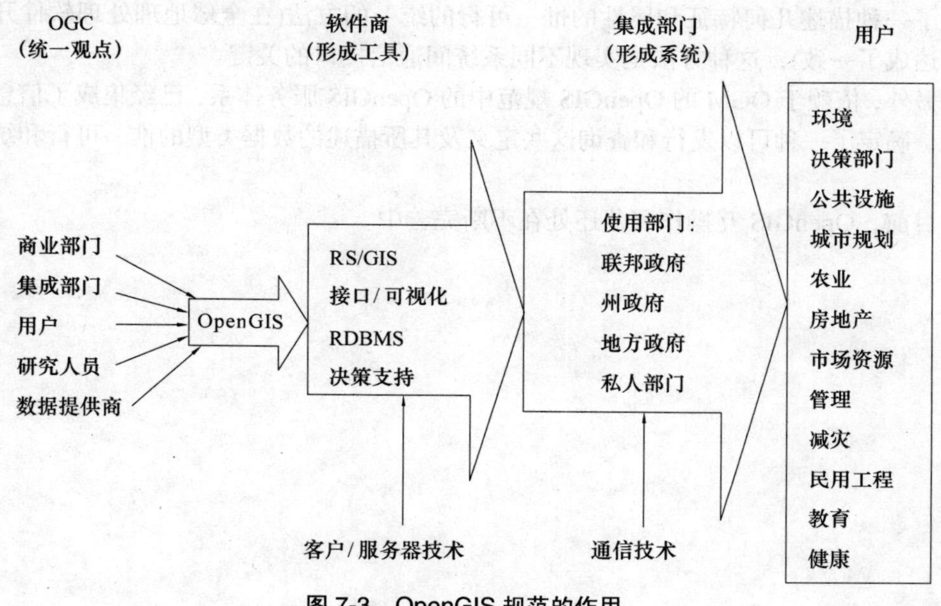

图 7-3　OpenGIS 规范的作用

7.4.2　互操作地理处理的工作方式

非互操作起源于不同的软件厂商在定义地理对象的基本几何特征时使用了各自的内部结构，同时，当用户在使用每一商业 GIS 时，又作了不同应用目的的二次开发，这一切使得信息共享困难重重。地理信息团体中数百个分支机构中的每个部门都有自己独特的模式(模型)，它们贯穿在信息表示技术的每个阶段，诸如数据字典、对象模式、几何规则、分类模式等。

当今的对象建模技术已经被用在多种分布式计算平台上。如何实现 OpenGIS 规范，OpenGIS 规范并没有提出一个具体的标准实施模式。OpenGIS 规范的开放地理数据模型(OGM)包含一个众所周知的类型和结构集合。通过这一集合，OGC 技术委员会便可以表示任何地理模型，如具体类型的集合构成一个地理模型(“类型”代表简单或复杂的数据结构，它们可以在特定数据集合中以一种具体“事例”或“结构”的方式重复多次，如一个字节便是最简单的一个类型，它可以对应一个具体的 ASCII 字符)。这些类型和结构被确定为接口的方式。一种实用的方法便是用这些众所周知的类型和结构表示信息，低层(软件引擎)和高层(信息群体)的模式模型可以用 OGM 的构件来表示。

对于信息团体有两种定义或观点。一种观点认为它是描述共享一个对象定义和语义的人类团体，特别在地理信息团体中，人们为更好地实现他们的软件，便通过一些“行话”来满足他们的专业需求，产生了一个公共的模式模型。对“信息团体”一词的另一种观点是指 OpenGIS 规范中描述的机制，该机制给出了地理信息在人类信息群体中的组织方式，并能通过网络对异构地理数据和地理处理资源进行查询、集成、分类、交换等。

不同应用部门的信息团体对地理实体几何特征的描述方法也不一样。如在一个群体中“公路”是线，而在另一个群体中则是多边形。它们的属性也不尽相同。在一个群体中，小路的数量是关键要素；而在另一个群体中，路面类型则是考虑的主要因素。OGM提供了一种描述几何特征和属性的惟一可行的统一的方法(在全球地理处理软件开发商之间达成了一致)，这种方法是实现不同系统间通信接口的关键。

另外，依赖于 OGM 的 OpenGIS 规范中的 OpenGIS 服务体系，已经集成了信息团体机制，确定了一种可以发行和查询这些定义及其所描述的数据类型的惟一可行和统一的方法。

目前，OpenGIS 互操作规范还处在不断完善中。

第 8 章　Web 上的元数据

万维网正以惊人的速度在发展。2000 年 6 月，全世界已经有大约 5 000 万家网站；到 2001 年年底，已增加到 2 亿多家。网站的增长如同一幅随机图连通性的增长。这种现象首先由 Erdos 和 Renyi 于 1960 年发现，后经 David Green(Bossonaier 和 Green，2000)扩展，成为复杂交互式系统许多属性特征的基础。

从图 8-1 和图 8-2 中可以看出，连通性的增长是用连接点的数目来衡量的。少数几个连接点就会造成连通性的破坏或瓦解，对 Web 而言也是如此。

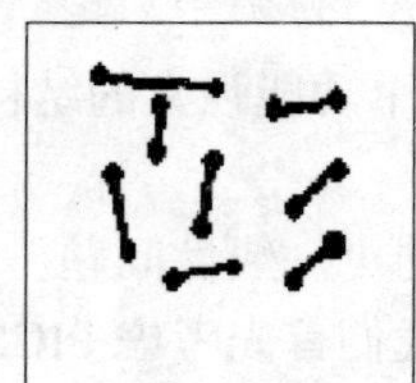

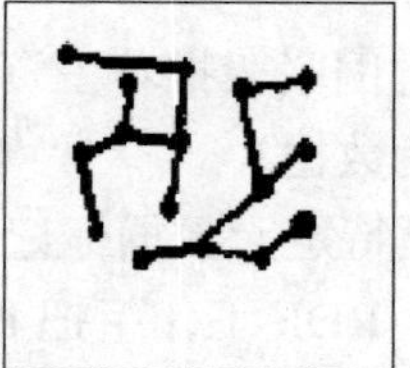
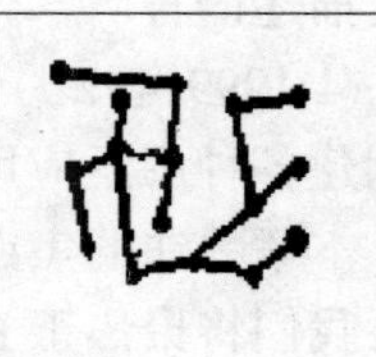

图 8-1　随机图形形成过程中连通性的增长

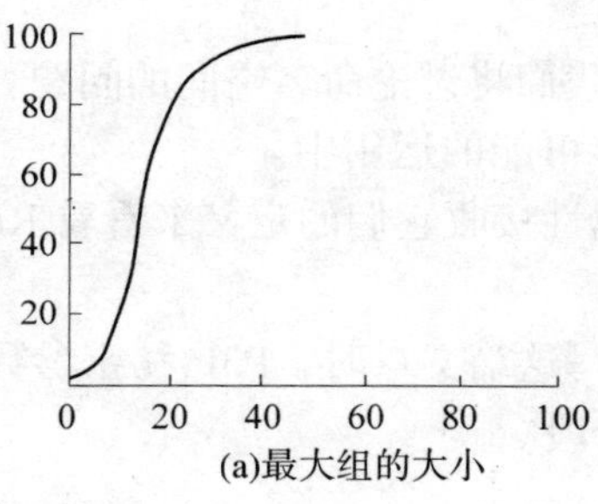

(a)最大组的大小

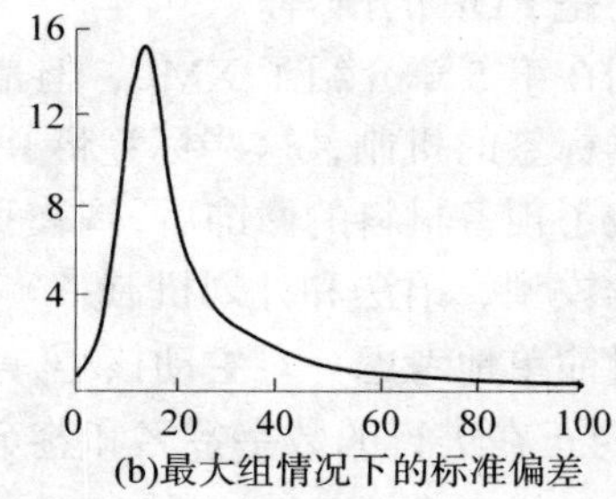

(b)最大组情况下的标准偏差

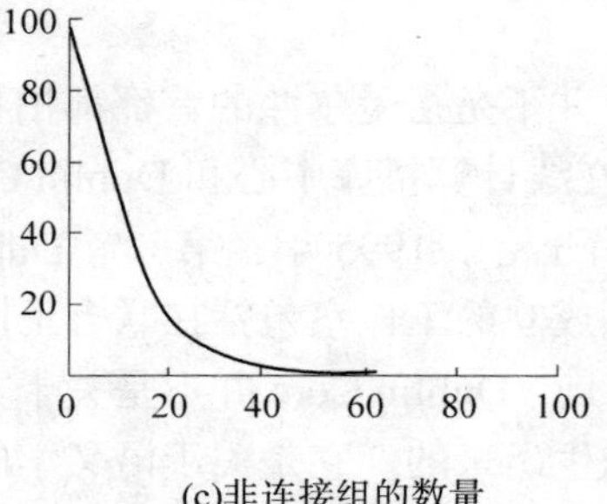

(c)非连接组的数量

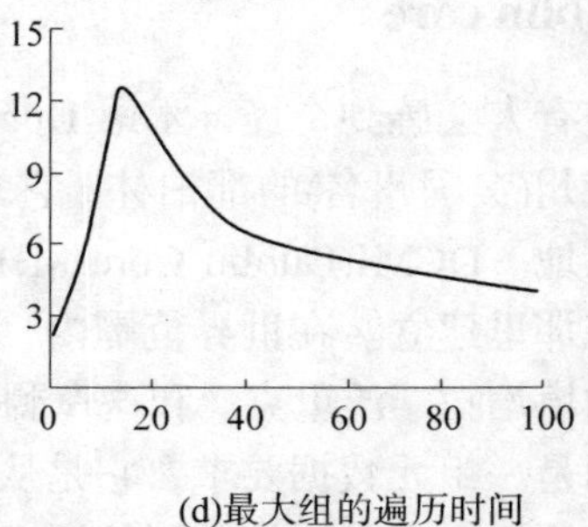

(d)最大组的遍历时间

图 8-2　随着边数的增加随机图形连通性的关键变化

Web 站点的空前增长带来了下述问题：

(1)查找所需信息变得越来越困难。

(2)网上发布的资料缺乏严格的审查。

(3)资料的真实性会使人产生疑问。

(4)Web 页面的质量和精确性难以度量。

(5)私人数据的采集和应用可能不是用户所期望的。

因此，迫切需要用一种描述 Web 站点的方式，这就是 Web 元数据。

从早期开始，超文本连接标识语言(HTML)就有 META 标记。这个标记依然是元数据的惟一完全标识源。但是它已经难负其重，于是出现了以下几个新的方向：

(1)Dublin core 工作室已经产生了一套完整的书目标记，为网页指定了诸如作者、创作日期等特性。

(2)PICS(Internet 内容选择平台)用特定方法标记和评估内容，主要是供孩子父母和教师应用。

(3)XML 作为 HTML 的强有力的、可扩展的选择，发展很快。HTML 实际上是一种自我描述语言。

(4)1999 年 2 月，万维网联盟推荐了资源描述框架(RDF)，这是一个功能强大的结构，可创建各种广泛应用的元数据。

本章关注的焦点不是特定元数据标记集问题，而是元数据范式的更一般性问题。因此，我们将聚焦于 RDF。RDF 工作组把 PICS 归为主要部分，所以我们首先考虑 PICS。XML 更复杂，功能更强大，虽然开始它是 SCML 的简化形式，但现在它发挥了更加广泛的作用，且具有结构化的特性，这超越了 DTD 的原始概念。XML 通常提供固有的元数据，它是 RDF 的语言。

我们在第 5 章介绍了 XML，但是在第 8.3 节，我们将讨论命名空间的问题。这是记录元数据标签的机制，这些标签将 RDF 运用到许多可能的运用中。

清楚了预备材料的修饰后，现在我们通过数据属性接收它们的定义来看看 RDF 的结构、数据模型、语法和计划机制。

通过简单地考虑一对主动核心，我们得到：在写这篇文章时，P3P(秘密参数选择工程平台)与正在进行的数字签名和鉴定还处于发展阶段。

8.1 Dublin core

或许有人会感到奇怪，术语 Dublin Core (DC) 并不是指爱尔兰的首都都柏林，而是指俄亥俄州(美国州名)的都柏林，它是 OCLC——在线计算机库中心和 Dublin Core 董事会的所在地。DCMI(Dublin Core Metatata Initiative)开始于 1995 年，第一个 Dublin Core 工作室在那里建立。在世界范围内，与它同一时期成立的工作室包括在联合王国以及澳大利亚的堪培拉、沃里克。和这章剩余部分不同的是，Dublin Core 并不是关于方法和技术的，而是一组元数据要求，它是从一个远景库派生出来的。它是关于语义学的，而不是结构或语法，它是以推动因特网上资源发现为目的的。同样地，DCMI 同结构语法机制、XML 和 RDF 一起发展。

8.1.1 DC 元素规范

读者不久就会知道，不同应用的元数据要求的可能设置的范围是巨大的，这章主要考虑的是我们怎样描述元数据元素。但是 DC 规范的相对简化意味着一个简单的描述机制是足够的。每个元素有十个属性。前六个属性对于现行版本中的任何元素来说是不变的。表 8-1 列出了这六个，它们几乎不包含特殊情况。

表 8-1　DC 元素的固有属性

属性	值
版本	1.1
注册授权	Dublin 核心元数据
语言	英语(根据 ISO639)
责任与义务	可选
数据类型	字符串
最大发生率	无限、无约束

表 8-2 给出了另外四个可变元素，目的很明显，是用来定义创建器元素的。

表 8-2　Dublin 核心元素变量属性

属性	值
名称	创建器
惟一标识符	创建器
定义	负责资源内容的代理
说明	创建器包含的例子

在大多数情况下，名字和标识符是相同的。但是在特殊的情况下，名字比标识符有更广泛的描述性。

通过前面的部分我们已经清楚了定义的结构化细节，现在我们分析表 8-3 中以简化形式给出的 15 个 DC 元素。

表 8-3　Dublin 核心元素

名称	惟一标识符	注释
题目	题目	
创建器	创建器	
主题和关键字	主题	
描述	描述	
出版商	出版商	
贡献人	贡献人	
日期	日期	应用 ISO8601 推荐的日期表示方法：YYYY-MM-DD
资源类型	资源	资源的特性
格式	格式	物理或数字表达
资源惟一标识符	惟一标识符	URL，ISBN 等
数据源	数据源	
语言	语言	应用 ISO639 两个字母语言代码，如 EN(英语)
关系	关系	
图层	图层	可以是时间的、空间的或管理的
权限管理	权限	版权等

值得注意的是，某些描述器本身并不完整，还需要参照其他标准和形式识别系统。像 URL、ISBN，是广泛应用的描述器。但是对于其他元素，如 Relation，却无现成的标准可用。

下一部分，我们会看到怎样将这些元素合并到 HTML 文档中。对此没有标准，只有因特网团体备忘录。

8.1.2 HTML META 标签

一个 HTML 文档包括两部分，即文件头(head)和文件体(body)。文件头不包括浏览器上显示的信息(虽然标题元素经常出现在网页周围的框架标题上)。从原理上讲，浏览器能够准确获取页面文件头，并决定是否需要整个页面。一个直接的应用是决定从上次登陆到现在，页面是否更新。尽管这种用法已趋于为其他技术所取代，但是，HTML 文件头包含关于页面里的信息、元数据信息，这有助于用户决定是否真的要下载页面信息。

当 Web 刚开始起步的时候，几乎没有人意识到它会如此快速地增长，因而对元数据的提供是十分有限的，事实上仅有一个空标签<META>。标签的每次出现包含一个属性值对。幸运的是，一个文档中可以用多个元数据标签，并用于执行整个 Dublin Core！

<META>标签有如下几个属性：

name：元数据元素的名字，例如文档的作者。

content：名称属性中指定的信息，例如作者的名字、属性的值等。

http—equiv：更灵巧，与获得页面的协议有关。后面将会详细介绍。

Scheme：解释 name/content 对中定义的属性的值，需要对外部信息的访问。

Lang：包含某些其他的全局属性，对我们的需要来说这并不特别重要，它只是一种文档语言。

下面是一个简单的例子：

```
<META name="author" content=" T. Bossomaier" lang="en">
```

对 name 属性，http—equiv 是可选择的。它的作用是以 HTTP 协议的形式创建一个特殊的头，用来从 Web 服务器上获得网页。

<META>标签的频繁使用是为了提供页面关键字，简化搜索引擎的任务。下面的例子用两种不同的语言描述包含地图信息的页面：

```
<META name="keywords" content="maps, spatial, OS UK" lang="en" >
<META name="keywords" content="cartes, spatial, france" lang="fr" >
```

下面是一个更复杂些的 dublin cores 示例：

```
<META name=" DC.Creator" content=" Terry Bossomaier" >
<META name=" DC.Creator" content=" David Green" >
<META name="DC.Title" content="Spatial Metadata and Online GIS" lang="en" >
<META name=" DC.Publisher" content=" Taylor and Francis" >
<META name=" DC.Languager" content="en" scheme=" ISO639" >
```

注意，在前缀后面，元素用大写字母，并可以任意顺序出现。本例中并未包含全部 DC 元素，也没有必要这么做。当然，前缀 DC 是指 Dublin Core。但是在 Web 页面怎样才能标明这一点呢？可使用<LINK>元素来解决。

```
<LINK REL="scheme.DC" HREF=http://purl.org/DC/elements/1.0>
```

DC 仅仅是众多可能前缀中的一个，它在 REL 属性中伴随 shceme 关键字。

用可能会引起混淆的语言有些复杂。在上例中，我们已经指定了 shceme 属性。实际上在 ISO 标准中，定义了语言缩写形式。看下面的例子：

```
<META name="DC.Creator" content="Tomasi di Lamedusa" >
<META name="DC.Title" content="Il Gattopardo" lang="it" >
<META name="DC.Title" content="The Leopard" lang="en">
<META name="DC.Language" content="it" scheme="ISO639" >
<META name="DC.Source" content="ISBN 88-07-80416-6" >
<META name="DC.Type content="novel" >
```

该脚本描述了 Lampedusa 创作的一部小说的在线版本(它区别于 Visconti 根据该小说改编成的电影，通过 DC.Type 值，可以把电影嵌入到 Web 页面中)。故事本身是用意大利语写成的，脚本中用 DC.Language 属性值描述。但是有两个标题，一个是英语的，另一个是意大利语的，用 META 元素中的 lang 属性来描述这个特征。该在线版本源于最初的印刷小说，对此，用 ISBN 来描述。

现在，有两个问题已经十分清楚了，这在后面十分重要。首先，上述脚本是一种平铺直叙的格式，仅仅是一种无结构的属性—值对列表。随着元数据变得越来越广泛和复杂，人工来分类是很困难的。其次，在网站上或一些别的文档收集中，很可能会有许多重复。以一所大学的网站来举例。一所大学有许多共同的属性，如进行教学和科研工作、授予相应学位；一所大学会有多个系，如美学、生物、化学、数学、地理等。搜索引擎在执行搜索时希望具有这种功能：避免搜索信息的重复。重复会导致错误发生、延长下载时间、增加工作负担，所以我们需要某一种层次机制，可以继承元数据。第 8.2 节要介绍的 PICS 在这个方向上有了一个开端。

Dublin Core 是一个能动库，如果人们使用它，并在术语含义上达成共识，那么元数据在所有应用中应该是惟一的。我们知道 Dublin Core 采用一种简单的机制对其元素实施标准化描述。它是很通用的，适合一种最低要求的描述。当我们想提供更复杂的描述时，我们遇到了问题：怎样共享元数据呢？PICS 提供了一种机制。

8.2 PICS：因特网内容选择平台

PICS 是为了避免少年儿童受到网上一些不健康的材料(主要是色情文学)的影响而实施的。虽然政府官员们认为审核制度是必要的，但同时也有很多人认为，因特网应该是没有限制的。因此，PICS 隐含的思想是，网站要么执行标签数据，要么将其 URLs 列在标签管理机构，该机构定义其内容。应该将浏览器配置为不接收有特殊标签的数据。PICS 必须很容易使用，父母和老师能够有效地使用它去阻止少年儿童对某些网站的访问。

主动审核制度是十分成功的。如果一个色情网站的管理员，不想把它关闭，只是对特定的顾客限制你的材料，限制访问权限，这已经是很令人满意的了。另一方面，某些网站为了自身利益的考虑，并不愿意加以限制。因此，我们需要第三种审核机制，如学术界非常看重专业人士的评价、著名的刊物包括报纸在出版前都要经过各领域专家的审查等。PICS 标签管理机构关心的就是这些问题。

W3C 网站(http://www.w3c.org/pics)有全部的文件清单、邮件清单、媒体评论等。PICS 工作组已经完成三个技术方面的建议：

(1)服务描述。详细说明怎样描述等级服务的词汇；等级服务和系统在 1996 年 10 月 31 日由 W3C 推荐。

(2)标签格式和分布。处理标签自身的细节，解决怎样将其分布为兴趣区域的问题；标签分布及其语法在 1995 年 10 月 31 日由 W3C 推荐。

(3)PICS 规则。它是为过滤规则设置的相互交换格式，PICS 规则规范在 1997 年 12 月 29 日后很快由 W3C 推荐。

另外一个推荐是签名标签。主要是围绕数字签名自身而发展的。

既然 RDF 包含 PICS 格式，来考察一些概念是很有趣的。像 Web 这样没有中央控制的大型自组织系统的长期困难之一，是需要保持向后兼容性。因此，一个新网站可能用 RDF、PICS，但作为 W3C 的推荐，在将来仍然是有用的。

8.2.1 PICS 等级系统和服务

为了给一个网站提供等级评定，我们需要一个适合于等级自身的备有证明文件的系统和一个按需提供适宜等级的服务。如下面程序所表明的那样，标签定义应用了一种模糊的语法表达。下面程序五个注释的含义如下：

(1)为等级系统和等级服务定义 URLs 地址。

(2)定义论文类型，如是一个帮助文档还是新研究报道。

(3)尽管已经为不同类型论文指定了数字属性值，但这些数字属性值就如同 C 语言中的枚举类型；这些属性值无重要度排序，只用无序的子句说明一个项的属性。

(4)确定文档状态，在此分为 0、1、2、3 等共四种状态。

(5)读者可以查询当前文档的状态。

```
((PICS-version 1.1)
(rating-system http://www.gcf.org/ratings)
    (rating-service "http://www.gcf.org/ratings);                      Note1
    (name "OGIS Publication Ratings")
    (description "Describes the categories of papers in OGIS, the Journal of Online
    GIS and their status in the refereeing and publishing process")
    (category
    (transmit-as "type");                                              Note2
            (name "Publication type")
            (label (name "research paper")(value 0))
            (label (name "tutorial")(value 1))
            (label-only)
            (unordered true));                                         Note3
    (category
```

```
            (transmit-as "referees");                              Note4
            (name "referee count")(value 0)
            (integer)
            (min 0)
            (max 3))
      (category
      (transmit-as "status")
            (name "Publication status")
            (label (name "being refereed") (value 0))              Note5
            (label (name "accepted") (value 1))
            (label (name "under reversion") (value 2))
            (label (name "published") (value 3)))
```

8.2.2 创建标签

标签本身有类似的模糊语法。可以用一系列不同选项描述标签。在此我们不详细展开讨论，仅用下面的程序段加以阐释。

```
(PICS-1.1 http://smdogis.vir/v2.0
labels
    on "2000-10-10T14:00
        for http://smdogis.vir/ferds-paper.html
        until "2000-12-31T23:59:00"
        by "Editor 1"
        rating (type 0 referees 3 status 2)
        for http://smdogis.vir/Jills-paper.html
        by "Editor 2"
        rating (type 1 referees 1 status 3))
```

首先是等级评定的日期。Fred 的论文是一篇研究性论文，经三人审核。当前它正处于修订之中。Jill 的论文是一篇评论，且已经出版，所以该标签无期满日期设置。

必须强调指出，有很多细节我们并未考虑。有兴趣的读者在网上可以查找到优秀的参考资料和规范。

8.2.3 标签分布

标签的分布主要有以下两种方法：

(1)将标签嵌入到 HTTP 的域名集中。这需要一个适应服务器。

(2)<META>标签。这种方法的缺点是要在所有页面中获取信息，且只能用于 HTML 网页本身，而不适用于其他格式(如图像)。如果浏览器在特定的页面中什么都没有查找到的话，它就会移出文档树去寻找更一般的标签。

一个使用<META>标签的例子如下：

```
<META http-equiv="PICS-Label" content='
    (PICS-1.1 http://clio.mit.csu.edu.au/sit-labels
```

```
labels on "1999.09.09T09:09-0000"
until "2000.12.31T23:59:0000"
for http://clio.mit.csu.edu.au/dangerous/page.html
ratings (violence 10))'>
```

芝加哥大学提供了一个基于 PICS 应用培训的网站，引导标签的创建、分类和使用。

8.2.4 应用 PICS 规则

假设要限制浏览器对已接收的或已发表的论文的访问，下面的程序段将教会我们怎样做。

```
(PICSRule-1.1
(serviceinfo (
    http://smdogis.vir/v2.0
    shortname "ogis"
    bureauURL http://bureau.smdogis.vir/ratings
    UseEmbeded "N")
    Policy (RejectIf "((ogis.status<=2) and (ogis.type>0))")
Policy (Acceptif "otherwise"))
)
```

8.3 资源描述框架(RDF)

资源描述框架(Resource Description Framework，简称为 RDF)有三个不同的组成部分。一是 RDF 数据模型，用图形符号描述文档组成部分之间的关系；二是模型编序和特定语法；三是 RDF 纲要。W3C 在 1999 年 2 月推荐 RDF 数据模型和语法，一个月后 RDF 纲要也获得了 W3C 的推荐。

RDF 应用了来自不同领域的概念和成就(见图 8-3)。总的来说，这是有益的，但也会导致一些混淆。面向对象编程的广泛应用使这个结构很容易理解。“对象”用来表现事物，是系统执行的最小单位；“纲要”用来描述注释类层次构架。

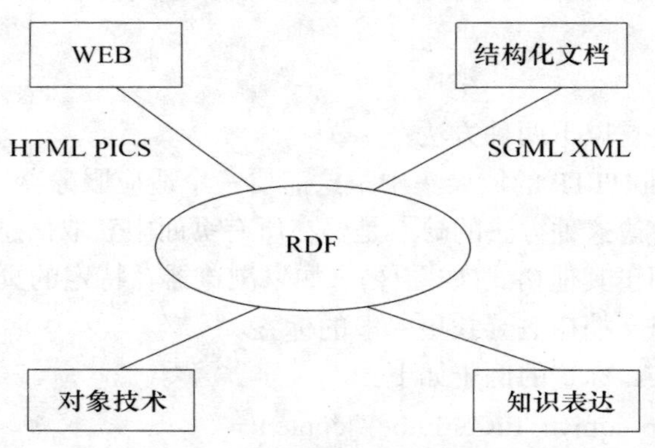

图 8-3　在 RDF 中发挥作用的概念和技术

面向对象编程的关键特征之一是软件的可复用性。必须找到适当的对象，将它们分解到粒度合适的类，定义类接口和继承体系，并建立它们之间的关键联系。

8.3.1 有标签的图解模型

描绘数据模型的一种简便方法是利用标签图形。它有两个要件：

资源(用椭圆表示)和属性(用定向箭头指示)。属性值可以是文字(用长方形表示)也可以是未来资源(见图 8-4)。

资源、属性及属性值的结合是一种综合。资源是主题，属性是本质，属性值是对象。请注意，这是使用对象时容易出现混淆的地方之一。

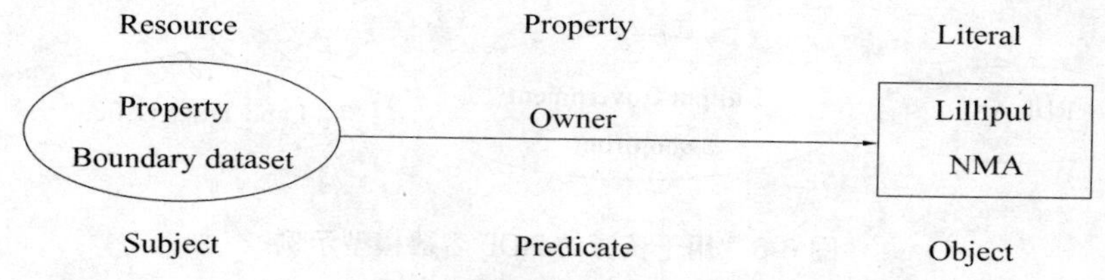

图 8-4 标签图形模型中资源的表达权属

当对象关心的是未来资源的时候，第二资源既可使用标签，也可不使用标签(见图 8-5)。

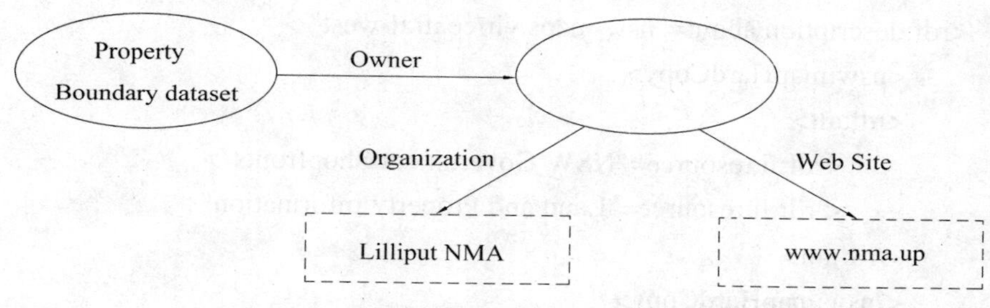

图 8-5 标签图形模型中表达连结权属

8.3.2 容器模型

出现与单一主题相联系的重复资源是非常合情合理的。但有时我们喜欢资源集有一个表明自己权利的标识。这时，我们可以把它们封装到容器类中，称之为 bag(包)。设计助理和从事空间信息系统学位(BSIS)教育者可以看做是一个整体。在网站上，我们这样描述该课程(见图 8-6)：

```
<rdf:RDF xmlns:sit=http://clio/sit-ns>
<rdf:description about ="/bsis-staff ">
    <csu:staff>
        <rdf:bag>
            <rdf:li resource="/bsis/Bill">
            <rdf:li resource="/bsis/Kate">
            <rdf:li resource="/bsis/Xihua">
        </rdf:bag>
```

```
    </csu:staff>
</rdf:description>
```

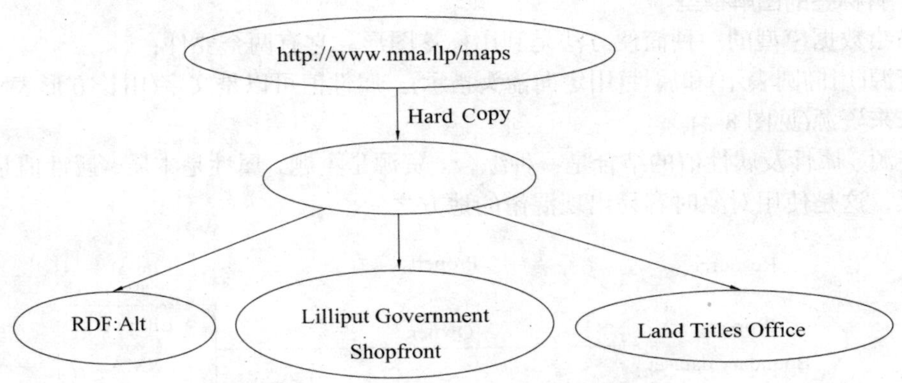

图 8-6　用于资源的 RDF 容器模型示例

这里的语法是自描述性的，单个 bag 元素利用了 HTML 表元素。

Alt 容器元素表达了一种选择性。例如可以从几种资源中获得硬拷贝映射：

```
<rdf : RDF xmlns: lpi=http://lpi-ns.vir>
<rdf:description about="nsw-maps.vir/central-west" >
    <nsw:mapHardCopy>
    <rdf:alt>
        <rdf:li resource="NSW Government Shopfronts">
        < rdf:li resource="Land and Property Information" >
    </rdf:alt>
    </nsw:mapHardCopy>
</rdf:description>
```

这里的语法也是自描述性的。但是，XML 中的语法编序并没有解释清楚类型(type)的概念。因此，在图 8-6 中，空椭圆表示一种类型。在面向对象软件技术中缺乏表达相同类型概念的能力。

最后一个容器模型是一个序列，它的语法和图表与上面讲述的相同。例如，在新南威尔士(NSW)，注册一辆汽车有三种不同的操作。如果你不相信邮政服务，就需要访问三个不同的地方：首先在一个得到有关部门认可的检测站检测汽车，然后购买意外事故保险，接着带着检测证书和意外事故保险单到注册办公室。数字签名并未绑定在 NSW，在 Lilliput 的网站上是可接受的，只要访问一次汽车间就行了。其余的都在网上进行。我们选择一个汽车间，从那里接收到检测证书。使用它的私人钥匙的汽车间标记 MD5 分类。现在标记过的分类进入第二个网站，他是众多保险公司中的其中一家。第二个 MD5 标记分类返回，然后前面的两个进入第三个网站，最后是政府的网站，在这里获得证书。图 8-7 显示了这些事件的序列化。RDF 编序如下：

```
<rdf: RDF xmlns: lpi=http://www.lsn.gov.ll/ns>
```

```
<rdf: description about="lsn-registration.ll/central-west" >
      <lsn: motorRegistration>
      <rdf: seq>
      <rdf:li>
<rdf:alt>
      <rdf: li resource=http://www.micks-mechanicals.com.ll>
      <rdf: li resource=http://www.toms-tuneups.com.ll>
</rdf:alt>
      </rdf: li>
      <rdf:li>
      <rdf:alt>www.cheap-greens.com.ll>
      <rdf:li resource="gazelle-motorins.com.ll>
      <rdf:alt>
      </rdf:li>
<rdf: li resource=http://www.motor.lsn.gov.ll>
<rdf:seq>
</lsn:motorRegistration>
</rdf:description>
```

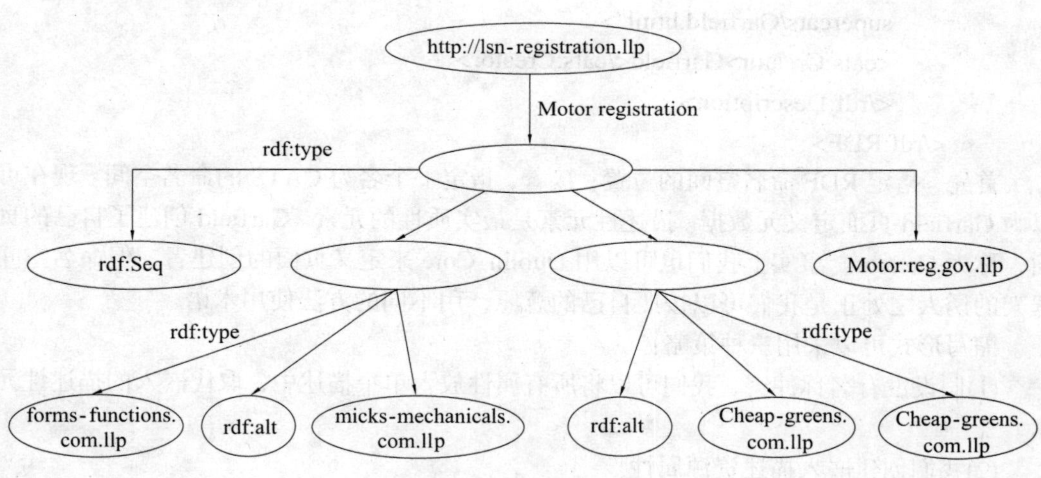

图 8-7　一个 RDF 序列

处理代理(或许是属于你的财政顾问)能够处理这种描述，并且为了你的利益而实施所有步骤。在选择的时候按照自己的标准，可选择最便宜的项目，并能自主地通过整个序列实现。注册条是在汽车厂打印的，只要签署数字签名就可以交易了。

8.3.3　正式 RDF 模型

正式 RDF 模型(Lassila、Swick，1998)有 11 个特征，有些是关于注释的注释，抛去这些还有 8 个方面是我们所关注的：

(1)资源集。

(2)文字集。

(3)资源子集的属性。

(4)注释集，每个元素是一个三元组的 {pred, sub, obj}, pred 是属性，sub 是资源，obj 要么是资源，要么是文字。

(5)RDF 中的属性元素 RDF: type。

(6)表的注释 {RDF:type, sub, obj} 要求 obj 是一个资源成员。

(7)资源有三个元素，它们不是属性，而是 RDF:bag、 RDF:seq、RDF:alt。

(8)Ord 属性子集，其元素为 RDF:_1、RDF:_2、RDF:_3……。

8.3.4 数据模型的 XML 语法

RDF 模型如同文本，是可读的。为此，我们需要一种所谓的编序语法。这有两种形式：第一种语法或者称为基本语法更直接、更广泛、更详细；第二是缩写形式，它以一种更简洁的方法处理说明性子集。RDF 解释器应该能够处理这两种形式的任意组合。

分析下面的简单例子：

```
<rdf:RDF>
xmlns:rdf=http://www.w3.org/1999/02/22-rdf-syntax-ns
xmlns:cats=http://schemas.org/cats
    <rdf:description
    about="http://www.cats-of-the-world.org/
    supercats/Garfield.html">
    <cats:Creator>Garfield</cats:Creator>
    </rdf:Description>
</rdf:RDF>
```

首先，指定 RDF 命名空间的位置；接着，指定一个名为 CATS 的命名空间。现在可以为 Garfield 页面定义元数据。描述性元素是最实质性的元素。Garfield 创建了自己的页面，称为 Creator。事实上我们也可以用 Dublin Core 来定义页面的创建者，但命名空间框架的诱人之处正是我们可以按照自己的意愿，用不同的方法使用术语。

缩写形式可以采用三种策略：

(1)假设没有名称冲突，我们可以将所有属性放入单个描述中，取代嵌入的描述性元素。

(2)我们创建嵌入描述资源属性。

(3)类型属性直接成为元素名。

8.3.5 容器元素的属性

有时我们想在一个容器中创建一个关于所有页面的说明，而不是容器自身。在 Lilliput 中，考虑表示地图的页面设置：

```
<rdf:bag ID="maps" >
    <rdf:li resource=http://landinfo.gov.ll/redMountains>
    < rdf:li resource=http://landinfo.gov.ll/forestlake>
</rdf:bag>
```

```
<rdf:Description aboutEach="#maps">
<llm:mapmaker>Gulliver</llm:mapmaker>
</rdf:Description>
<rdf:Description about="#maps">
<llm:custodian>Lilliputian Mapping Authority</llm:custodian>
</rdf:Description>
```

这段脚本的结果是定义 Gulliver 为地图创建者，在设置中应用 aboutEach 创建每幅地图，同时说明地图数据采集管理者是 Lilliptian 制图机构。

第 9 章　元数据标准

在前面的章节中,我们已经详细地介绍了如何利用元数据索引在线资源查找信息，特别是空间信息。即使每个人应用不同的术语，那么元数据也仅有有限的值域。在实际的应用中，必须制定标准元数据词汇表，特别是实现站点和应用之间空间数据的融合需要空间元数据标准。这些标准把国家和国际组织串联在一起。

在本章中，我们将介绍一些现行的空间元数据标准。作为一种案例研究，我们将讨论美国和澳大利亚元数据标准。同时，考察其他如欧洲的空间元数据标准的情况。

9.1　美国的元数据研究

国际上，北美尤其是美国在各种地图数据发展方面，起了十分重要的作用。美国拥有卫星航天等先进技术，世界上著名的大影像公司如 Kodak、Xerox、Bausch 和 Lomp 也坐落在此，同时还有世界计算机行业的巨头等，这不能不令人惊奇。反过来说，大量的数据积压也是个严峻的问题。

正像我们将看到的那样，美国的元数据发展也不得不面对全国范围内认识、理解差别这样一个棘手的问题。目前在联邦政府和各个州政府都面临这个问题。为了试图建立一个综合性的联邦标准，一种复杂繁琐的标准出现了。

美国在招揽数据用户方面尤其积极，通过降低数据花费使其成为可能，由此使大范围的在线使用潜力得到发挥。但元数据的生成太慢，导致数据的在线使用受到阻碍。首先，我们看一下参与数据管理的政府机构和元数据发展的历史，这样我们就看到了美国元数据标准的各个方面。

9.1.1　管理空间数据的政府部门

负责元数据定义和实施的联邦机构是联邦地理空间数据委员会(FGDC，网址为 http://www.fgdc.gov)。它于 1990 年 10 月美国总统签署的 A—16 号通知中获得成立。它的成立只有十多年的历史，所以很容易看出为什么数据的发展会如此受阻。FGDC 有 12 个主要的下属委员会和 6 个工作组，到 1999 年底，它已经签署 14 项标准。

美国紧接着又采取了一项重要的管理步骤。1994 年 4 月，在第 12906 号总统令中，要成立国家地理空间数据交换站(NGDC)，建立国家空间数据基础设施委员会(NSDI)，以督促 NDSI 的进展。这些组织机构面临的挑战是十分巨大的。1994 年 5 月，NSDI 启动了一项工程——标准格网参考系统，也就是不仅在空间数据的格式上而且在坐标系统进行定义。通用格网参考系统在稍晚些时候的 1999 年 5 月 24 日颁布。

除了建立 NSDI 数据交换站外，FGDC 还负责敦促标准的发展，检查包括各级联邦政府机构执行标准的情况。

元数据是 FGIS 的 4 个地理空间标准之一，指导和监督这些标准的是标准工作组(SWG)，SWG 提出建议和检查标准在联邦政府政策中的执行情况。SWG 也和外部机构如 ANSI(信息技术标准组织)和 ISO(国际标准化组织)加强联系。基本的元数据标准是数字地理空间元数据内容标准(CSDGM)。对联邦机构来说是强制性的，并向州政府和当地政府推荐。

9.1.2 CSDGM 剖析

1996 年 6 月，在美国举办了地理空间元数据研讨会，与会者认为需要研制地理空间数据的元数据内容标准(CSDGM)。在 FGDC 下设置标准化工作组起草了 CSDGM 标准草案，从 1992 年 10 月至 1993 年 4 月，公开征求意见并进行测试。1994 年 1 月和 3 月，对草案又一次征求意见和测试。1994 年 8 月，FGDC 通过并发布第一版 CSDGM。此后，联邦政府内外的许多单位根据 12906 号总统令的要求，从 1995 年开始执行这一标准，并利用自动索引和服务机制，为用户提供通过 Internet 访问其数据库的服务。FGDC 于 1997 年完成了第二版 CSDGM。

CSDGM 说明一组数字地理空间数据的元数据的信息内容，提供与元数据有关的术语和定义，说明那些元数据元素是必需的、可选的、重复出现的，或是按 CSDGM 产生规则编码的。CSDGM 是参照文件，它说明当用户在评价数据集的用途、获得该数据或者有效使用数据时需要知道的事情。

第二版 CSDGM 打印文本有 83 页。包含 7 个主要子集和 3 个次要子集(见表 9-1)，共有 460 个元数据实体(含复合实体)和元素。

表 9-1　第二版 CSDGM 所含子集一览

主要子集	次要子集
标识信息	引用文献(引证)信息
数据质量信息	时间信息
空间数据组织信息	联系信息
空间参照系信息	
实体和属性信息	
发行信息	
元数据参考信息	

元数据元素是元数据的关键术语，是最基本的单元。一个元数据元素说明地理空间数据的某一方面的特征。按数据库语言，它们是填入数据的“字段”。一个或若干个元数据元素组成元数据实体。复合实体则由元数据实体、元数据元素和(或)其他复合实体构成。每个元数据元素、实体或复合实体均需说明其名称、定义、类型、值域、简称等特征信息。元数据子集是由若干元素、简单的或复合的元数据实体组成的集合。

CSDGM 标准规定了三种性质的子集、实体和元素。这三种性质是：必需的，即必须提供的信息；一定条件下必需的，即如果正在建立的元数据包含某子集、某个实体，或某个元素说明的特征，则必须提供的信息；可选的，即该信息是可选的，由用户决定是否将其包含在元数据文件中。

当用图示方法表示时，元数据元素为一个三维方框，框内填写元素的关键字名。实体及符合实体则表示为围绕数据元素和(或)其他元素的方框。图 9-1 是一个复合实体“数据集范围”的框图，它由地理坐标、时间范围和高程范围等三个实体组成。其中，地理坐标为复合实体，它由 4 个元素和一个“地理区域”实体构成。地理区域实体又由两个

图 9-1　复合实体数据集范围

元素组成，时间范围实体由 4 个元素组成，高程范围实体则由三个元素组成。元数据子集、实体和元素之间的关系也可以用通用建模语言(UML)描述。

在元数据文本文件中，这种子集、实体和元素关系，用元素比实体缩进一格的办法表示(称分层缩排)，或者用编号，或者在编号后增加一个小数点和下一层编号表示。例如实体 2.1 可以有元素 2.1.1 和 2.1.2 等。以下是美国地址测量局(USGS)发布的 30′×30′数字高程模型(DEM) 元数据中数据志 (Lineage) 子集的部分内容，它明显地体现了缩排结构(其中，黑体部分是元数据数据值，其余是元数据子集、实体和元素名称)。

Lineage:
    Source_Information:
        Source_Citation:
            Citation_Information:
                Originator: **U.S. Geological Survey**
                Publication_date:
                Title: **digital contour lines**
                Geospatial_Data_presentation_form: **map**
                Publication_Information:
                    Publication_Place: **Reston, VA**
                    Publisher: **U.S. Geological Survey**
Type_of_Some_media: magnetic tape
    Source_Time_Period_of_Content:
        Time_Period_Information:
            Range_of_Dtaes/Times:
                Beginning_Date:**19880805**
                Ending_Date:**present**
            Source_currentness_reference: **ground condition**

这里有几点需要注意：

(1)元数据子集、实体和元素名称必须与标准完全一致。

(2)元数据实体(含复合实体)与其元素之间的关系必须处理好，即元素总是跟随各自的实体。

(3)元数据即使符合标准，看起来也可能是不一样的。这是由于标准仅说明元数据的内容，而不说明它的格式。不同格式包括元数据元素分层缩排、编号系统、元素名后加冒号、在元素名称下划线，或者将其作为分开的单词等。可以利用元数据操作工具软件将它们规则地排列起来。操作工具可以读入元数据文件，输出与标准一致的元素名称。美国地质测量局的 Doug Nebert 收集编辑了著名的、用于建立地理空间数据文档的、符合 FGDC 元数据标准的各种元数据操作工具表(见表 9-2)。这些工具可用于元数据的输入、编辑与处理、后处理和确认。

表 9-2 元数据操作工具表

操作工具名称	功 能	OS/GIS 平台
ASCII template documents	帮助建立元数据条目	任何能处理文本的平台
BIC Metadata Form	在线元数据提交套件	客户端能处理表单的浏览器，服务器端能处理 CGI
CNS(Chew and Spit)	元数据编译预处理	Unix、DOS、Windows95 或 NT
Corpsmet 95	建立 CSDGM 元数据工具	Windows95、NT
DATA DICTIONARY(AML)	Arc/info 数据的智能化元数据建立工具	Unix Arc/info
DataLogr 1.0	IDSN 元数据创建工具	MS Windows3.1 和 DOS
Dataset Catalog4.0	元数据创建工具	有 Access2.0 以上版本的 MS Windows3.1、3.11 或 NT
DOCUMENT(AML4.0)	Aec/info 数据的智能化数据条目工具	Unix Arc/info version7.0.3 或 7.0.4
FGDCMETA(AML1.1)	Aec/info 数据的智能化数据条目工具	Unix 或 NT 上的 Arc/infos
The MDC(Metadata Collector)	佛罗里达机构的元数据创建工具	MS Windows、Unix
Metadata Lite Entry Form	元数据提交套件	客户端用 Web 浏览器，服务器端用 Perl 和 Isite
Metadata Management System(LCRA)	CSDGM 元数据创建工具	MS Windows3.1、95 或 NT
Meta Data Manager Professional2.0	CSDGM，DIF，GILS 元数据工具	Windows95、NT
Metadata Validation Service	CSDGM 在线元数据编译器，以实现元数据有效性检验	任何支持表单的浏览器
Metagen 32	CSDGM 元数据创建工具	Windows95、NT
METALITE(AML)Beta 1.8	CSDGM 元数据创建工具	Unix 平台 Arc/info7.0 以上版本
MetaMaker 2.10	CSDGM 元数据创建工具	MS Windows
Map	对 CSDGM 格式元数据进行一致性检验，并输出为文本、HTML、SGML 或 DIF 格式	Unix、DOS、Windows95 或 NT
atme	CSDGM 元数据创建工具	Unix with XR5

9.2 澳大利亚标准

9.2.1 ANZLIC 背景

ANZLIC 是澳大利亚和新西兰土地信息理事会的缩写，该理事会是一个许多不同团体的联合组织，它们开展元数据研究工作。1994 年，该组织采纳一种元数据转换的策略。1995 年 4 月，ANZLIC 组成一个工作小组，发展元数据框架，开始了澳大利亚空间数据基础设施的研究。自始至终，研究工作是在商讨的过程中进行的，工作组共享这些标准的所有权。与其他这些标准尚未被很好的采用的国家相比，澳大利亚在元数据研究方面做了大量的工作。实践证明，获取合法数据并标记它是十分耗时的。

1998 年 1 月，ANZLIC 发布了几经更新的 DTD 版本。ANZLIC 建立了一个综合的网站：http://www.anzlic.org.au。在那儿读者能够找到关于标准和发展动向的详细资料。

ANZLIC 最初是由澳大利亚和新西兰政府联合推动的。澳大利亚有六个州和两个地区，在联邦体制中，每个州都有高度的自制权。每个州都有自己的制图机构和测量员规程。每个州的测量员规程构成 ANZLIC 管理机构的核心，但尚未形成跨越各州的稳定结构，甚至在某些地方，可能找不到官方测量员规程。

9.2.2 ANZLIC DTD

高层(0 层)元素是 ANZMETA，直接表示在表 9-1 中。有些要素本身含有一些子要素，最大深度为 6。大多数要素仅仅以特定顺序出现一次。在顶层，分布和辅助信息是可选的，而联系信息是重复的。根据 DTD，标记一个数据集是相当简单明了的。在特定主题词表中，有些规定文本的输入是很复杂的，这是一种局限性，超出了 SGML 描述的范畴。我们透过基本的 DTD，分析适宜本地容量和未来发展的扩展异常分支。

我们将列举真正元数据的例子——ANZLIC 惯例来说明各种 DTD 元素。我们从 anzmeta 根元素开始着手，anzmeta 元素有 9 个子元素，它们按规定的顺序排列，拥有两个元素选项，一个可以重复，描述于表 9-3 中。

表 9-3 分层元素

元素	内容	是否需要
citeinfo	数据集	是
descript	数据描述	是
timeperd	数据当前状态	是
status	数据集状态	是
distinfo	数据访问	可选
dataqual	数据质量	是
cntinfo	联系信息	可重复
supplinf	附加元数据	可选

9.2.2.1 citeinfo 描述元素

元素 citeinfo 有三个必要的组成部分，即惟一标识别符(uniqueid)、标题(title)和起源(origin)、标题元素(title element)。其中，只有起源元素(origin element)有子元素，这些子元素是管理员(custodian)和管理权限(jurisdiction)。后者由一个或更多个关键词(Keyword)组成。这些关键词来源于前面描述的关键词集(第 8.4 节讨论过)

```
<citeinfo>
    <title>
```

```
            Vegetation: Pre-European Settlement (1788)
        </title>
        <origin>
            <custodian>
                Australia Surveying and Land Information Group (ASLIG)
            </custodian>
            <jurisdic>
                <keyword>Australia</keyword>
            </jurisdic>
        </origin>
    </citeinfo>
```

该数据集描述了一种早先移入欧洲的植被模型。

9.2.2.2　描述元素

描述元素在某种意义上更复杂，拥有几个子元素。它依次由抽象(abstract)、主题(theme)和空间域(spdom，可选)组成。明码文本满足抽象，主题由一连串一个或多个关键词组成，有助于初学者学习。空间域更复杂，它由一个或多个位置元素或一个关键词组成，伴有边界元素。可能有一种简洁的描述位置的方法，如一个集水区域或一些其他的合法的精确制图项。在这种情况下，一个关键词就足够了。在其他情形下，用地理坐标(经度与纬度)可以清楚地说明每个多边形的顶点(dsgpoly)。指南针服务于定义方位(northbc,southbc,eastbc,westbc)。

```
    <descript>
        <abstract>
            Shows a reconstruction of natural vegetation of Australia as it probably
            would have been in the 1780s.Areas over 30000 hectares are shown plus
            small areas of significant vegetation such as rainforest. Attribute
            information includes growth form of the tallest and lower stratum, foliage
            cover of tallest stratum and dominant floristic type.
        </abstract>
        <theme>
            <keyword>
                FLORA Native mapping VEGETATION Mapping
            </keyword>
        </theme>
        <spdom>
            <place>
            <keyword>
                Australia
            </keyword>
```

```
        </spdom>
    </descript>
```

9.2.2.3 数据当前状态：timeperd 元素

数据状态实质上是一个元数据元素。有效的空间数据挖掘的最大困难是数据本身的精度。没什么预料不到的，begdate 和 enddate 元素每个都有日期和关键词子元素。既然在许多数据集被创建之后，对元数据已关注已久，但有时候字段的内容可能是未知的。

```
<timeperd>
<begdate>01JAN1780</begdate>
<enddate>Not Known</enddate>
</timeperd>
```

在 ISO8601 格式中，日期已被给出。纯数字格式为 2001-04-01。

9.2.2.4 数据集状态：<status>元素

状态<status>元素说明了关于数据集发展的重要信息，其当前状态是拥有两个子元素的顶层元素：begdate 和 enddate。这是自注释性质的。子元素 progress 由关键词组成，源于缺省主题词表。子元素 update 有相似的更新关键词范围，多数是自注释性质的，如每天更新、每周更新等。

```
<status>
    <progress><keyword>Complete</keyword></progress>
    <update><keyword>Not Known</keyword></update>
</status>
```

9.2.2.5 数据访问：distinfo 元素

三个子元素描述 distinfo：native 描述存储数据格式，avlform 描述数据格式(可选项)，acconst 描述任何访问限制，格式可以是 nondig 或 digform。

```
<distinfo>
    <native>
        <digform>
            <formname>ARC/INFO</formname>
            <formname>Vector Data</formname>
            <formname>GINA</formname>
        </digform>
        <nonding>
            <formname>Maps</formname>
        </nondig>
    </native>
<avlform>
<digital>
<formname>Database</formname>
```

```
<formname>ARC/INFO</formname>
<formname>Vector Data</formname>
<nondig>
    <formname>Maps</formname>
</nondig>
</native>
</avlform>
<acconst>
</acconst>
</distinfo>
```

数据遵循澳大利亚联邦版权法。需要许可(License)协议，收取适当费用。

9.2.2.6 数据质量：dataqual 元素

数据质量是一种元素，这是不言自明的。许多继承数据丢失或从没有适宜的质量说明。第一个子元素是 lineage，描述数据的来源；posacc 和 attracc 给出位置精度和属性精度；最后，logic 和 complete 给出数据的逻辑一致性和完整性描述。

```
<dataqual>
<lineage>
captured from mapping material used to produce AUSLIG's 1 : 5 million scale
Australia Natural Vegetation, 1989.
</lineage>
<posacc>Not Documented</posacc>
<attracc>Not Documented</attracc>
<logic>Not Documented</logic>
<complete>Australia</complete>
</dataqual>
```

在此，我们看到了处理继承数据的困难。许多特征是未知的，从未记录或者已经丢失。

9.2.2.7 联系信息：cntinfo 元素

元素 cntinfo 十分简单明了，包括 cntorg、cntpos、address、city、state、country、postal、cntvoice、cntfax 和 cntemail。

```
<cntinfo>
    <cntorg>
    Australian Surveying and Land Information Group (AUSLIG)
    </cntinfo>
    <cntpos>
        Enquiries to Data Sales Staff, Data Sales,
        National Data Centre
    </cntpos>
```

```
<address>
      PO Box 2
</address>
<city>BELCONNEN</city>
<state>ACT</state>
<country>Australia</country>
<postal>2616</postal>
<cntvoice>
      Australia Fixed Network number
              +61 2 6201 4340
      Australia Freecall
              1800 800 173
</cntvoice>
<cntfax>
      Australia Fixed Network number
              +61 2 6201 4381
</cntfax>
<cntemail>
      datasales@auslig.gov.au
      mapsales@auslig.gov.au
</cntemail>
</cntinfo>
```

9.2.2.8 *元数据：metainfo 元素*

现在我们有了 metainfo 元素，它表明了元数据本身创建的日期。

9.2.2.9 *附加元数据：supplinf 元素*

supplinf 元素包括一些以前没有涉及的任何补充性信息。

```
<supplinf>
The Australian Spatial Data Directory(ASDD)
Also, further information about Spatial Metadata is at
ANZLIC http://www.anzlic.org.au/metaelem.htm
--------------------------------------------------------------------------------
growth form of tallest and lowest stratum
foliage cover
dominant floristic type
--------------------------------------------------------------------------------
1：5 million
--------------------------------------------------------------------------------
RESTRICTIONS ON USE
```

None

----

3 to 4 mb depending of format

PRICE and ACCESS
RRP $500
</supplinf>
</anzmeta>

9.2.3 关键词元素

关键词元素出现于几个元素之中，具有必需的主题词表特性，有一列定义的值表。在限制关键字的应用中，这个系统正常运行，但并不能做全部工作。任何关键词都可采用主题词表，因而在每种情况下，只有有限的主题词表是可用的。因此，就出现较为复杂的 DTD，它有几个不同的关键词属性。

ANZCIC DTD 很容易理解，很好地包含了中心数据元素。这些元素名称由内存实施。SGML 具体参考语法规定元素名称最多有 8 个字符，但这很容易超出，而且在 XML 中并不必要。可是随着元素名称与 US 标准的匹配，不可能有直接的变化。主题词表的运用是非常有效的，而且元数据处理工具可以帮助检测在每个阶段添加的正确数据元素。

对特别发达的检测工具的一种选择是 XML 的详细计划。需要强调的一个重要问题是，许多关于空间元数据的工作伴随着 W3C 关于元数据的注释而先前发展，结果出现了一些与目前 Web 站点执行标准不兼容的情况。这在一定程度上阻碍了在线 GIS 的发展。

一个相关的问题是元数据文件集成在一起的方法。现在没有规范，这个问题留给研究 Web 站点和空间数据字典本身结构的组织去解决。一个更综合的面向对象的模型，如包含在 RDF 之中，具有如下优点：

(1)更容易通过一个体系结构搜索。

(2)减少数据复制。

我们上面已经讨论了属于空间元数据的那些元素。为了描述文本结构，DTD 也从 HTML DTD 中继承了一些元素，如列表元素和段落。

9.2.4 对 ANZLIC 框架的解释

与 XML 中命名空间的应用类似，ANZLIC 提供了一系列主题词表来定义在元数据 DTD 中的各个字段。更多的详细资料可以在 Web 站点 http://www.anzlic.org.au 中查找。

手工标记文件非常耗时，而且需要相当的技巧。事实上，对任何组织添加元数据并非是一项琐碎的工作。ANZLIC 与其他组织一样，具有简单直接地输入元数据的工具。虽然需要从 SGML 转向 XML，允许新的元素自由添加，但是对可扩展性并没有明确的规定。

9.2.5 矿产资源数据

下面是一组描述矿产资源数据的例子。注意，大量关于 AUSLIG 的信息是重复的。

```
<anzmeta>
    <citeinfo>
        <title>
            Minerals
        </title>
        <custodian>
            Australian Surveying and land Information Group(ASLIG)
        </ custodian>
        <jurisdic>
            Australia
        </jurisdic>
    </ citeinfo>
    <descript>
    <abstract>
            Shows the point location of mineral deposits, mines and treatment
            plants in Australia. Attribute information includes mine name, State,
            mine, size, minerals and status.
    </abstract>
    <theme>
            <keyword>MINERALS</keyword>
    </theme>
    <spdom>
            <place>
                <keyword>Australia</keyword>
            </place>
    </spdom>
    <timeperd>
            <begdate>Not Known</begdate>
            <enddate>0DEC1990</enddate>
    </timeperd>
    <status>
            <progress>Complete</progress>
            <update>Not Known</update>
    </status>
    <distinfo>
            <native>
```

```
        <digform>
            <formname>ARC/INFO</forname>
            <forname>GINA</forname>
        </digform>
    </native>
    <avlform>
        <digital>
            <forname>Datbase</forname>
            <forname>ARC/INFO</forname>
        </digital>
    </avlform>
    <acconst>
        The data are subject to Commonwealth of Australia Copyright. A
        license agreement is required and alicense fee is also applicable.
    </acconst>
</distinfo>
<dataqual>
    <lineage>
        Data for the Minerals database have been gathered from a variety
        of sources including:
            <ul>
                <li>AUSLIG's  1 : 100000  and  1 : 250000  scale
                topographic mapping material;
                <li>various larger scale specialist maps and plans;
                <li>Mining companies'and state authorities' publications,
                including annual reports and maps;
                <li>Numerous private industry publications including
                journals and newspapers; and
                <li>Direct contact with mining companies.
            </ul>
    </lineage>
    <posacc>
        The horizontal accuracy is fully dependent on the source material.
        At worst the calculated value of the feature location is given to
        the nearest minute (approx 1800 metres).
    </posacc>
    <attracc>
```

For a given feature code, all attributes listed as mandatory are populated. Entries in other fields depend on the information availability. The data represent the best available at the time of entry.

</attracc>

<logic>

Tests carried out include: check of valid feature codes; removal of invalid and system feature codes; check for all point features attached to the attribute table records; check of layer/network assignment of all features; and cross check for invalid feature code to feature type combinations.

</logic>

<complete>

The data were checked through systematic comparison against relavant source material.

</complete>

</dataqual>

<cntinfo>

<cntorg>

Australian Surveying and Land Information Group(AUSLIG)

</cntorg>

<cntpos>

Enquiries to Data Sales Staff, Data Sales, National Data Centre

</cntpos>

<address>

PO Box 2

</address>

<city>BELCONNEN</city>

<state>ACT</state>

<country>Australia</country>

<postal>2616</postal>

<cntvoice>

Australia Fixed Network number

+61 2 6201 4340

Australia Freecall

1800 800 173

</cntvoice>

```
            <cntfax>
                Australia Fixed Network number
                +61 2 6201 4381
            </cntfax>
            <cntmail>datasales@auslig.gov.au</cntemail>
        </cntinfo>
        <metainfo>
            <metd><date>25NOV1996</date><metd>
        </metainfo>
        <supplinf>
                The Australian Spatial Data Directory(ASDD) Also, further information
                about Spatial Metadata is at ANZLIC http://www. anzlic. org.au/
                metaelem. htm ATTRIBUTES
                    mine name
                    state
                    mine size
                    minerals
                    status
                SCALE/RESOLUTION
                    1：1000000
                RESTRICTIONS ON USE
                    None
                SIZE OF DATASETS
                    0.2 to 1.6 mb depending on format
                PRICE AND ACCESS
                    RRP $300
        </supplinf>
    </anzmeta>
```


9.3 欧洲的情况

以英国为例，英国 Dublin 元数据核心元素标准适应于各种网络数据资源，它包含 15 个元数据核心元素。1995 年 3 月，联机计算机图书馆中心(OCLC)与国家超级计算应用中心(NCSA)联合召开元数据学术讨论会，通过了该元数据核心元素表。迄今已经召开过数次元数据学术讨论会，英国、澳大利亚、瑞典、丹麦、挪威、芬兰、德国、法国、泰国、日本、加拿大和美国等国家的有关公司和专家积极参与，它已经成为国际性的、用于电子数据资源的元数据标准。

该标准按照信息的类型和范围将15个核心元素分为3个子集，分别是数据资源内容、数据知识产权、数据实体。每个子集所包含的元素及其定义见表 9-4。

表 9-4 3 个子集所包含的元素及其定义

子 集	元 素	定 义
数据资源内容	数据集名称	由数据生产者或分发者确定的数据集名称
	主题	数据集的主题，可以是说明数据集主题或内容的关键字或短语，最好使用规定的缩写词或统一分类名称
	摘要	数据集内容的简要说明
	数据源	生产数据集的原始资料说明，包括原始资料出版日期、生产者、格式、标识码或其说明信息
	语言	数据集使用的语言，该元素的内容应当与"语言标识码"标准一致，如 en(英国)、de(德国)、fr(法国)等
	关系	其他生产者标识码及其与数据生产者之间的关系
	时空覆盖范围	数据集内容的空间和时间覆盖范围。空间覆盖范围可以用坐标或地名表示；时间范围是指数据的现势性，按 ISO8601 日期和时间格式标准，即 YYYY-MM-DD
数据知识产权	数据生产者	负责生产数据的主要单位和个人
	出版者	将数据集提供给用户使用的负责单位，如出版社等
	其他生产者	除数据生产者元素中说明以外其他参与生产者如编辑、转换等
	版权	版权说明。与版权管理声明连接的标识码，或与提供数据集版权管理信息的服务连接的标识码
数据实体	日期	数据集生产或提供使用的日期，按 ISO8601 日期和时间格式标准，即 YYYY-MM-DD
	类型	数据集的类型
	格式	数据集的数据格式，用于识别显示或操作数据集的软件及硬件
	标识码	惟一标识数据集的字符串或数字，对于联网数据资源，包括 URL 和 URN 或 ISBN

Dublin 元数据的每个核心元素都是可选的和可以重复使用的，而且，元数据元素的顺序无关紧要，也不代表其重要性。

9.4 元数据的作用

元数据可以用来辅助地理空间数据，帮助数据生产者和用户解决一些问题。元数据的主要作用可以归纳为如下几个方面：

(1)帮助数据生产单位有效地管理和维护空间数据，建立数据文档，并保证即使其主要工作人员退休或调离时，也不会失去对数据情况的了解。

(2)提供有关数据生产单位数据存储、数据分类、数据内容、数据质量、数据交换网络(clearinghouse)及数据销售等方面的信息，便于用户查询检索地理空间数据。

(3)提供通过网络对数据进行查询检索的方法或途径，以及与数据交换和传输有关的辅助信息。

(4)帮助用户了解数据，以便就数据是否能满足其要求作出正确的判断。

(5)提供有关信息，以便用户处理和转换有用的数据。

由此可见，元数据是使数据充分发挥作用的重要条件之一。它可以用于许多方面，包括数据文档建立、数据发布、数据浏览、数据转换等。元数据对于促进数据的管理、使用和共享均有重要的作用。原始数据如果没有元数据，就很难有效地进行管理和使用。元数据对于建立空间数据交换网络是十分重要的，网络中心通过设在中心的元数据库可以实时地连接各个分发数据的分节点元数据库，帮助潜在的用户找到其特定应用所需要的数据，实现数据共享。不难预见，元数据在地理信息产业中将担当重要的角色。然而，在数字形式下，元数据的建立和维护、生产者与用户之间的交流均非易事，需要数据生产者付出更多的努力，并需要那些可能应用数据的用户，或可能修改数据以便符合其需求的用户作出相应的努力。

9.5 今后的主要研究工作

目前，世界各国、国际组织、学术团体、公司等都在研究和制定与其密切相关的元数据标准和建立元数据库。综合近些年来国际上关于元数据研究的情况，归纳出今后元数据研究的主要热点问题如下：

(1)数据交换网络与元数据集成的理论。

(2)元数据在数据交换网络中及不同产品间的集成。

(3)与数据交换网络有关的元数据问题。

(4)数据交换网络环境中的元数据管理问题。

(5)元数据交换和互操作规范。

(6)通过元数据管理数据质量。

(7)元数据本身质量：数据质量的基础。

(8)元数据库实施的缺陷及解决办法。

(9)从标准到系统：元数据设计如何成为现实。

(10)元数据标准间的协调及方法。

(11)元数据作为数据文件管理关键字的复杂性。

(12)基于 Internet 的元数据管理和访问。

(13)如何最大限度地减少元数据冗余，元数据置于何处?

(14)利用元数据管理复杂数据集和如何创造商业价值。

这些问题是近些年来各国有关机构关注的热点，也是有关国际会议的主要议题，尚有待于进一步的研究探讨。

第 10 章　数据仓库

10.1　什么是数据仓库

数据仓库系统构造方面最著名的设计师 William Inmon 在 1995 年描述了数据仓库这个术语，“数据仓库是一个面向主题的、集成的、时变的、非易失的数据集合，支持管理部门的决策过程。”这个简短而又全面的定义指出了数据仓库的主要特征。有 4 个关键词——面向主题的、集成的、时变的、非易失的，将数据仓库与其他数据存储系统(如关系数据库系统、事务处理系统和文件系统)区别开来。

(1)面向主题的(subject-oriented)：数据仓库围绕一些主题，如顾客、供应商、产品和销售组织。数据仓库关注决策者的数据建模与分析，而不是集中于组织机构的日常操作和事务处理。因此，数据仓库排除对于决策无用的数据，提供特定主题的简明视图。

(2)集成的(integrated)：通常，构造数据仓库是将多个异构数据源，如关系数据库、一般文件可联机事务处理记录，集成在一起。使用数据清理和数据集成技术，确保命名约定、编码结构、属性度量等的一致性。

(3)时变的(time-variant)：数据存储从历史的角度提供信息，如过去 5 ~ 10 年的历史数据。数据仓库中的关键结构，隐式或显式地包含时间元素，有一个时效性的问题。对数据的操作只有在获取时才是有效的，在几秒钟之内，在描述当前操作时可能不再有效。

(4)非易失的(non-volatile)：数据仓库总是物理地分离存放数据，这些数据源于操作环境下的应用数据。由于这种分离，数据仓库不需要事务处理、恢复和并发控制。通常它只需要来应对各种数据访问：数据的初始化装入和数据访问。新的数据总是添加到数据库中去，而不是取代已有数据，数据库不断地吸收新数据并把它们和原有的数据密切融合(Inmom，1995)。

数据仓库是一种语义上一致的数据存储，它充当决策支持数据模型的物理实现，并存放企业战略决策所需信息。数据仓库也常常被看做是一种体系结构，通过将异源数据集成在一起而构造，支持结构化和专门的查询、分析报告和决策制定。图 10-1 展示了一个地理数据仓库的集成结构。

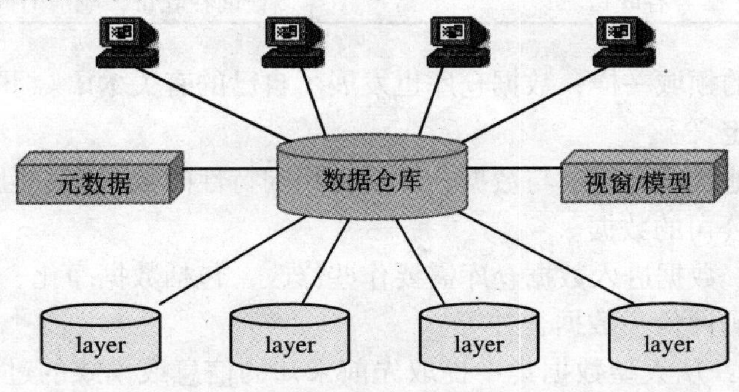

图 10-1　地理数据仓库的集成视图

一个数据仓库和一个数据库有什么不同呢？其中，最重要的标准是一个数据仓库包含了几个截然不同的数据库。数据仓库好像是一把把许多不同数据资源连接在一起的巨伞，一个单独的数据库包含许多不同的表，紧紧地集成在一个单独的软件框架中。而一个数据仓库经常用于综合许多业已存在的不同数据库。这些数据库可能应用不同的软件，它们由完全分离的部门来发展、完善和维护。

另一个重要的标准是数据仓库的面向主题特征所固有的。数据库通常只能支持简单查询，而数据仓库通常提供了各种各样的工具来帮助解释和显示数据，这正是数据仓库的优势。连接分散在各地的不同数据库是很麻烦的，但是却有利于获得有价值的信息。例如，许多数据仓库的建立是作为商业市场分析的工具，一个公司通过分析买卖交易统计数据，进而改进其市场发展战略。

数据库和数据仓库还有一个不同是系统规模的差别，详细的比较见表 10-1。构建数据仓库的思想源于许多专业领域应用的原始数据的迅速增长。

表 10-1　数据库和数据仓库的不同

特　性	数据库	数据仓库
特征	操作处理	信息处理
面向	事务	分析
用户	办事员、DBA、数据库专业人员	知识工人(如经理、主官、分析员)
功能	日常操作	长期需求信息，决策支持
DB 设计	基于实体–关系模型，面向应用	星型/雪花、面向主题
数据	当前的，确保最新	历史的、跨时间维
汇总	原始的，高度详细	汇总的、统一的
视图	详细，一般关系	汇总的、多维的
工作单位	短的，简单事务	复杂查询
存取	读/写	大多为读
关注	数据进入	信息输出
操作	主关键词上索引/散列	大量扫描
访问记录数	数十个	数百万
用户数	数千	数百
DB 规模	100MB 到 1GB	100GB 到 1TB
优先	高性能，高可用性	高灵活性，端点用户自治
度量	事务吞吐量	查询吞吐量，响应时间

同任何新出现的领域一样，数据仓库也发展了自己的有关术语。下面收集了一些后面会用到的术语的定义：

数据市场或本地数据仓库：与数据仓库具有相同特性的数据库，但它通常比较小，更关注用于企业或公司的数据。

数据转换(DT)：数据进入数据仓库需要作些修改，包括数据净化、清理、规格化、转换数据类型、编码评价、数据合并等。

数据挖掘(DM)：从大型数据集中提取先前未知的信息或模式的过程。数据挖掘的最典型示例是确定什么属性能最好地描述一个地理区域。这个题目后面会进行详细的讨论。

知识发现(KDD)：一个与数据挖掘交叉使用的术语。但知识发现通常以规则的形式更集中在有用知识的发现上，而数据挖掘是使用智能化方法提取数据模式。

Z39.50：ANSI/NISO Z39.50 是美国国家标准信息恢复应用服务定义协议规范，专为开放系统的交互连接制定。Z39.50 定义了两台计算机之间为了信息恢复的目的而进行通信的标准方法。这个协议使得客户更容易与大型数据库系统连接，从中查询和检索信息。

10.2 地理数据仓库

每个从事地理信息研究的人都熟悉数据仓库的思想。许多地理信息系统其实就是数据仓库。因为 GIS 将不同的数据源简化成地理位置和空间属性这样一个共同主题，这对于最初从分离数据库中获取的数据层是共同的。例如，城市数据可以从装载地方性信息的数据库中生成，并可以叠加环境特征、健康信息或人口普查信息。

相反，虽然在思想上并没有想到用 GIS 来发展数据仓库，但许多数据仓库确实具有地理维。绝大多数数据仓库都用以解决环境和自然资源方面的问题，这是铁的事实。

例如，世界气候数据中心(WDCP)就起着数据仓库的作用。该中心管理许多种与气候变化有关的环境数据集，它的网络地址是 http://www.ngdc.noaa.gov/paleo/data.html。数据集，如树木年轮的记录、花粉形状、冰芯等，都有特定的地理位置。

现在许多部门都在建立数据仓库。例如，加拿大政府已经建立了数据仓库基础设施计划(DWIP)，作为国家林业信息系统(NFIS)工程的基础。

NFIS 的目标是向政府提供加拿大林业信息，如监测、综合报表等，并反映林业随时间变化的情况。NFIS 数据仓库的近期目标是提供满足京都木炭原料需求的报告，以及相应的标准和指标。NFIS 将改进有关加拿大林业资源的空间和非空间信息的应用。有些林业上所需求的信息并不是直接可观测到的，如主要野生动物的习性、水质、人为干扰等。NFIS 将在国家模型框架下，把这些信息融合到数据库中。NFIS 的网址为：http://nfis.cfs.nrcan.gc/warehouse。

10.3 数据仓库的结构

当把数据从许多系统中综合在一起时，数据仓库系统是最有效的。基础系统的特性、所需综合的层次、组织结构等推动着数据仓库结构或拓扑结构的选取。在此，我们介绍 3 种数据仓库的拓扑结构，即企业级数据仓库，独立数据市场，依靠性数据市场。

企业级数据仓库把所有包含在部门(工作组)数据库中的信息综合成一个独立的全球数据仓库(见图 10-2(a))。

独立数据市场结构是一些较小的数据仓库或数据市场(见图 10-2(b))。这种结构综合几个数据库形成一个独立的数据市场，最适合于部门众多、对数据又有不同的需求的组织机构。但这种结构存在数据重复的问题。

依赖性数据市场，下层的数据库或应用都供一个企业数据仓库需要(见图 10-2(c))。数据仓库子集被插入数据市场中。这种结构适于那些有专门工作组的部门，他们只对部门全部操作的特定方面感兴趣。

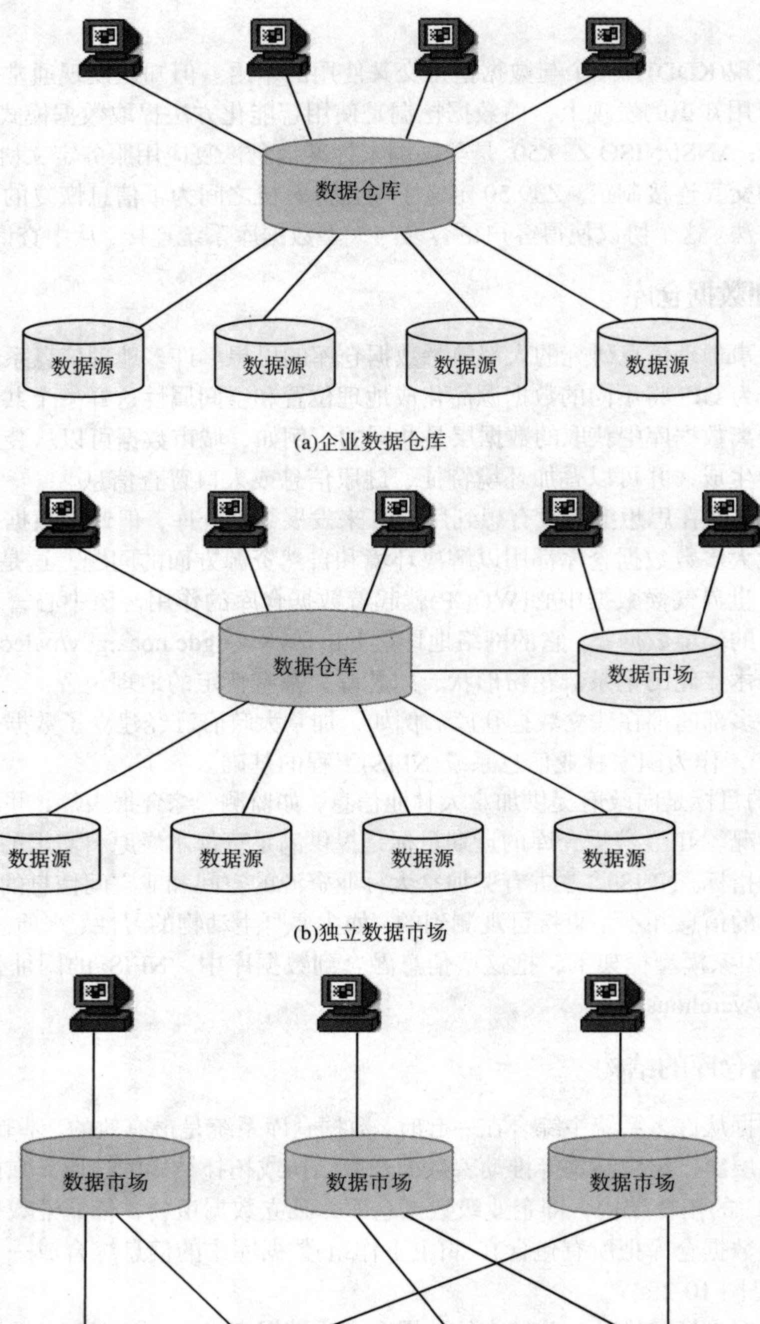

图 10-2　三种通用分布式数据仓库构架(Gargner,1996)

在此描述的用于数据仓库的结构是不详尽的。可以想像，还有许多混合的系统，数据仓库的全面组织完全取决于部门、工作组的操作以及决策过程。

除图 10-2(c)外，所有数据仓库都应用或依靠数据市场。主要问题是数据应该装入数据仓库还是移出数据仓库？数据进入或移出数据仓库或数据市场称之为数据迁移，有两种主要方法：

第一种方法是整体迁移法。应用这种方法，一次同步操作，所有数据都被移动。这种方法的好处是数据转换的速度很快。

第二种迁移方法是迭代法。这种方法中，数据依次移入或移出一个数据市场或数据仓库系统。因此，跨部门的数据仓库的更新任务量急剧增长。迭代法可以降低危害程度，如果出现什么错误，数据仓库也只有很小的部分受损害。

与上述数据仓库结构密切相关的问题是数据资源怎样组织的问题。

数据仓库能在主题事件和运算模型得到很好定义的地方很好地运行。可是，站点的耦合可能是非常巨大的。典型数据库主要由 3 部分组成：界面、数据搜索和恢复工具。在分布式数据库中，信息和索引是跨每个站点的计算机共享的。一般地，在线索引数据可以用以下几种方法组织(见图 10-3)：

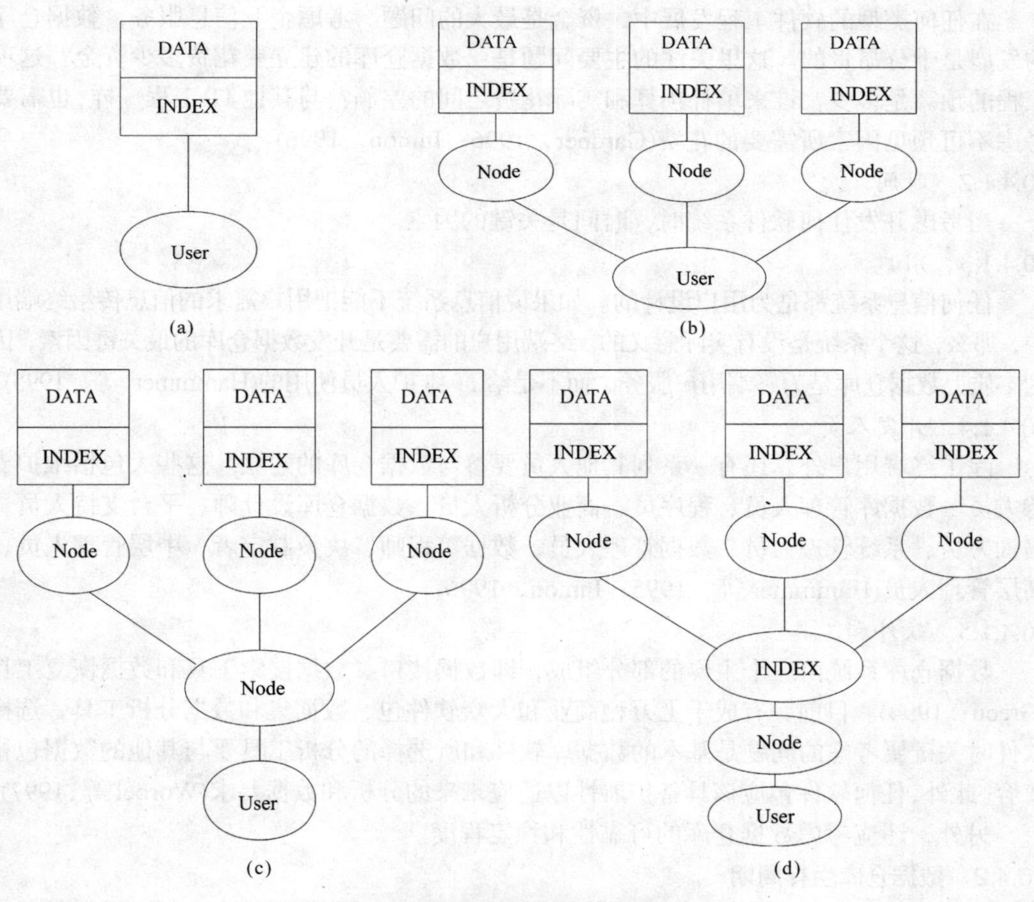

图 10-3　在线信息系统的若干模式

(a)集中式数据。这是数据库访问的传统模型。全部的数据都在一个服务器上，其他站点都指向服务器，这是最通用的网络数据库模式(见图 10-3(a))。

(b)分布式数据。每个地址分开索引，数据库由几个分数据库组成，每个数据库在各自不同的站点维护。公共界面(通常是 Web 文档)提供指向分数据库的指针，分别执行查询(见图 10-3(b))。

(c)分布式数据，多重查询。许多分数据库跨网络同步查询，许多搜索引擎都采用这种方式(见图 10-3(c))。

(d)分布式数据，单个集中。索引数据由许多项组成，存储在不同的站点，通过在单个站点保存的指针访问数据库(见图 10-3(d))。

10.4 建数据仓库的问题

你想建立一个数据仓库吗？从哪里开始？需要什么资源？该部分概述这些主要问题。

10.4.1 发展数据仓库所需的资源

10.4.1.1 费用

在任何类型的软件工程发展中，资金是最大的问题。考虑企业信息服务，数据仓库的发展是十分昂贵的。这里关注的主要问题是：数据仓库的建立要花费多少资金？这项工程的预算是多少？谁来填补预算和实际花费之间的差额？与其他 IT 工程一样，也需要考虑不可预见因素所需要的花费(Gardner，1996；Inmon，1996)。

10.4.1.2 时间

当考虑开发任何软件系统时，时间是关键的因素。

10.4.1.3 用户

任何信息系统都是为用户设计的。如果说信息系统不能把用户需求的信息传给终端用户，那么，这个系统是没有实际意义的。终端用户的需要是开发数据仓库的最关键因素，因为本质上数据仓库是为终端用户服务，而不是给 IT 维护人员使用的(Hammmer 等，1995)。

10.4.1.4 开发人员

除了终端用户外，还有一系列其他人员要参与数据仓库的建立。这些人包括维护支持人员、数据库管理人员、程序员、商业分析人员、数据仓库设计师、平台支持人员、培训人员、系统管理人员、数据管理人员、数据工程师、决策制定者、中层管理人员、高层管理人员(Hammmer 等，1995；Inmon，1996)。

10.4.1.5 软件和工具

数据仓库系统由三个主要的部分组成，即数据接口、数据搜索工具和数据恢复工具(Green，1994)。目前，有成千上万种商业和大众软件包、数据集和数据分析工具，选择软件时关键要考虑的问题是基本的数据库软件和所选择的分析工具要与其他的数据包相兼容。此外，任何软件包应该具备扩展性以适应未来的分析和数据要求(Worbel 等，1997)。

另外，还应考虑数据仓库的可靠性和稳定程度。

10.4.2 数据仓库生存周期

正像任何软件工程一样，数据仓库的建立也要经历系统发展的生命循环周期的各个阶段。主要包括计划制定、需求分析、设计、程序代码实现、测试及运行维护等 6 个阶段。

10.4.2.1　计划制定

主要是确定要开发数据仓库系统的总目标，给出其功能、性能、可靠性以及接口等方面的要求。

10.4.2.2　需求分析和定义

对待开发的数据仓库系统提出的需求进行分析并给出详细的定义，需要指出如下关键问题：用户需要什么样的数据？目前系统收集的数据是什么？丢失了什么数据？数据源是什么、在哪里？所采集数据的计划应用是什么？存储在遗产媒介上的遗产数据是什么？这个遗产数据有用吗？

从一开始建立数据仓库时就要考虑可扩展性,数据仓库应该是可用多种方式扩展的。首先，数据仓库应该能够应付新添加的数据市场；其次，应很容易地为数据仓库添加新的数据表；最后，数据应该以某种格式存储，这种格式允许用新的分析工具提取信息，这就要求数据仓库的建立应该与标准格式一致。

10.4.2.3　设计

实现从分析阶段到为可执行具体方案的转变。在这一阶段，设计师们需要确定数据仓库的结构、图形模式、标准化水平、接口的类型，同时还要确定什么用户访问什么数据什么数据应该给什么用户使用、采取什么样的安全措施，以及数据仓库的操作模式。

10.4.2.4　程序编写

把数据仓库设计方案转换成计算机可以接受的程序代码。

10.4.2.5　软件测试

在测试用例的基础上，检验数据仓库的各个组成部分的功能及稳定性等。

10.4.2.6　运行维护

监视发现数据仓库运行中的错误并予以改正，协调其运行环境，增强其功能等。

10.4.3　数据仓库基础设施

数据仓库的运行必须有硬件和软件设施来支持。硬件包括大容量磁盘、数据备份和恢复设备，以及数据面临危机时所需的备份硬件、高速处理器和支持众多用户的随机存储器以及存储数据的处理。许多厂商都在生产能够支持数据仓库运行的软件产品。

新标准和协议的出现将使建立分布式数据仓库更容易。举例来说，数据空间转换协议(DSTP)是为了使不同数据库及数据库系统通过 Internet 共享数据更容易；应用预报模型标识语言(PMML)，将数据集转换为公用格式，正如 HTML 语言允许人们以一种通用的阅读和显示格式来使数据资料在线，PMML 的目标正是为了使数据集能以通用的阅读和显示方式提供在线服务。在数据挖掘和数据仓库建立中遇到的一个问题是，不同的人采用不同的格式存储数据，这无疑给数据的共享造成了困难。

10.5　组织和实施

怎样组织大规模的信息呢？在许多情况下，数据仓库的绝对尺度要求把工作量在不同的部门之间分配。在计算机信息系统中，系统的维护是最耗费时间和金钱的，尤其是需要经常改变和更新数据时，问题尤为突出。在其他情形下，数据仓库需要集成不同种类的数据(如天气数据、植物分布等)，而这些数据是由专业机构单独编辑的。

10.5.1 遗产数据

在 20 世纪 70 年代初期，几乎所有商业系统都是由 IBM 开发的。这些系统是依赖大型机的，利用类似 COBOL、CICS、IMS 及 DB2 这样的工具来实现。到了 80 年代，AS/40 和 VAX/VMS 这样的小型计算机取代了大型机。这些系统流行了很长一段时间，它们基于客户/服务器体系共享数据，采用 Unix 操作系统。

在 80 年代晚期和 90 年代初期，桌面计算机技术日趋成熟，并迅速为商家所采用。这个时代计算机网络普遍获得全面发展，全球信息网络如万维网普及化程度迅速提高。

在由大型机转向小型计算机再到台式计算机的过程中，各个部门遇到的问题是需要进行数据转换。许多遗产系统仍然包含了很多有价值的信息，这种需要引发了如下几个问题：

(1)应当规范数据表，即数据库报表的规范化。数据规范化的思想是为了节约存储空间，确保数据集成、减少数据异常的几率。尽管如此，随着数据高度规范化数据表，应当确保数据向数据仓库的正确转换。

(2)数据集成的规则。为匹配不同来源的数据，决策规则允许方便的数据集成。在一些示例中，简单的关键字匹配是不够的。

(3)数据清除。数据并非只是注入数据仓库，它在数据仓库中有自己的生命周期。到了一定时候，数据将从数据仓库中清除。数据清理问题是数据仓库设计人员无法回避的基本设计问题之一。从某种意义上讲，数据清除不是从数据仓库中清除数据，而是上升到一个更高的综合级别。数据清除主要有以下几种方式：①数据加入到失去原有细节的一个轮转综合文件中；②数据从高性能的介质转移到大容量的介质上；③数据从系统中实际清除；④数据从体系结构的一个层次转到另一个层次，如从操作型层次转到数据仓库层次。

数据转换是将数据仓库付诸网络的极其重要的步骤。遗产系统是有价值的历史数据源。但是，在这些旧系统中转换数据是很浪费时间的，包含历史数据的好处超出了转换遗产数据的耗费。

10.5.2 处理对象

处理遗产数据最令人头痛的问题是将它们转换成可以应用的形式。做这种转换可以通过创建新文件(按需要的格式组织)的方式进行。但是，总是转换数据既不符合实际也不必要。比如，以多种不同方式应用的数据仅是部分的数据。因此，当我们每次使用所需数据时，只提取相关部分的数据就会方便多了。

遗产数据集是以特有格式存储的，需要特定的软件从中提取数据。一个例子是按商业格式创建的数据与不再通用的数据库程序相联系。另一方面，对较旧的通用数据集，科学家们以自己设计的风格存储数据，提供了从文件中提取某些要素的程序。如果软件能继续使用，那么最方便的方法是继续应用与数据集相联系的软件。可是如果数据仓库包含大量遗产数据集，那么这种处理就会出现混乱，且易于出错。

为了对遗产数据执行命令，可以把它们当作对象来处理。就是说，每个数据集所需的提取软件，及任何需要用以使提取自动化的脚本都被封装为一个对象(见图 10-4)。这就意味着隐藏了提取过程的细节。至于数据仓库的用户关心的，存在于系统中的所有数据都可以访问，提供特定信息的对象。

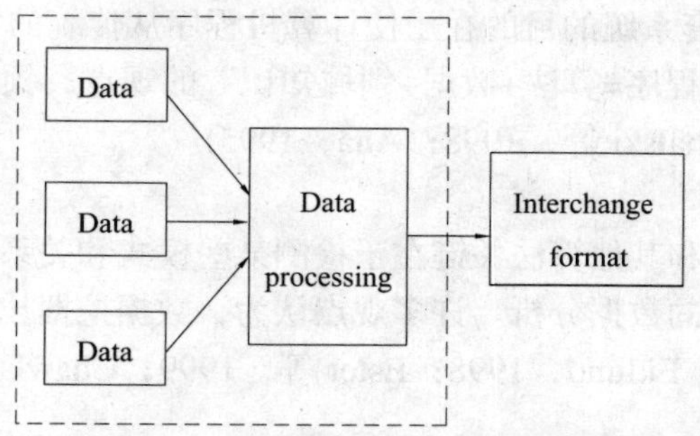

图 10-4 数据仓库对象(虚线框内部分)到提取遗产数据的操作

注意，这种方式也是组织数据转换的有效方法。假设一个处理对象(SET1)以一种交换格式为数据输出提供方法，也以相同的交换格式为数据输入提供方法，那么这种交换格式为从 SET1 转换成用相同转换方法可用的其他任何格式(如 SET2)提供中间环节。这样就使交换格式功效强大起来。图像格式就是其中一个很好的例子。至少有 100 种不同的格式，许多现在已极少使用。为了在每对格式之间提供直接转换，需要 9 900 个过滤程序。如果通过单一的通用交换格式绕过它们，所需的程序数目就减少到了 200 个，每种格式对应一种输入和输出过滤器。在实践中，考虑数据特性的不同，特别是栅格与矢量格式，需要几种交换格式。

10.6 数据挖掘

数据挖掘，顾名思义，是一种发掘隐藏在数据中的模式和关系的过程。

既然在数据仓库里有你所需要的数据，那么怎么处理它们呢？对数据仓库进行的通常操作是数据挖掘。对数据库的数据挖掘或知识发现第一次提出是在 1978 年的一次海量复杂数据集分析会议上(Fayyad，1996)。尽管数据挖掘概念的提出已经二十多年了，但是直到最近五六年，能进行数据挖掘的技术才初露端倪。

数据挖掘是一个多学科交叉的研究领域，它运用数据库技术、机器学习、模式识别、统计分析、可视化及高速计算等技术(见图 10-5)。中心目标是标识信息“金块”，即标识数据中隐含的有用模式和关系。

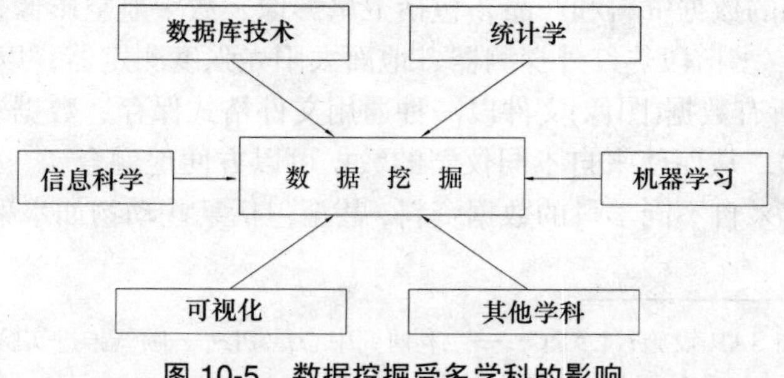

图 10-5 数据挖掘受多学科的影响

10.6.1 机器学习

机器学习领域的问题集中在开发能够从数据和事例中采编和学习的计算机系统(Dietterich，1996)。这套系统的目的在于使计算机程序从传统的“程序=算法+数据”观点转移到更加复杂的“程序=算法+数据+领域知识”的观点，领域知识从解决类似问题的先验知识中获得(Michalski 等，1998；Aha，1995)。

10.6.2 统计技术

许多机器学习技术和其他算法关键在于检测某些模式和关系的频率。非参数统计量用于执行假设和探索性的数据分析。许多观点认为，数据挖掘技术就是统计技术的实际应用(Fayyad 等，1996；Eklund，1998；Ester 等，1999；Chawla 等，2001)。

10.6.3 模式识别

模式检测可采用多种形式。模式识别决定什么事物经常相关出现，同样它也能检查出什么属性，再决定其他属性。

10.6.4 高速计算

数据挖掘的中心思想是通过筛选大量的数据来发现模式。数据仓库需要大量数据的存储。这项技术在最近几年时间已广泛应用。同样，数据挖掘需要快速访问和大量内存(RAM)以有效处理数据仓库中的数据。随着过去几年计算机技术的迅速发展，许多现有的 PC 机和低端工作站已足够执行数据挖掘和数据仓库功能(Fayyad 等，1996)。

在数据挖掘中用于提取信息的技术包括人工神经网络、遗传算法(Fayyad 等，1996)、径向基函数、曲线拟合、决策树(Quinlan，1993)、规则归纳(Fayyed 等，1996)等。

10.7 数据仓库实例

10.7.1 DAAC：分布式主动存中心

DAAC 成立于 1993 年，由八个数据档案中心(ASF，CIESINSEDAC，EROS 数据中心，NASA/哥达德空间飞行中心，JPL,NASA/LARC,NSIDC,ORNL) [1]和两个附属数据中心(NOAA - SAA，GHRC) [2]组成。DAAC 是 EOS 的一部分，EOS 又是 NASA 的 ESE 中的一部分。

在历史上，科学家在从事跨学科研究时曾遇到过诸多困难，主要原因是由于数据的存储和有效性等问题的制约，在查找有效数据时需要同许多不同的数据中心打交道。EOS 筹建了 DAAC 以期解决在从事跨学科研究和地球科学研究时遇到的相关问题。DAAC 提供超过 950 种不同的数据资料和产品，包括卫星影像、数字航空影像、空中太阳光强度测定器、AVHRR、多谱段热红外探测器、地面太阳光强度测定器，以及其他数据资料。

DAAC 确保所有数据(图像)文件以一种通用文件格式保存，数据资料经充分论证，包括大量的元数据，从而使来自不同仪器的数据可以方便地融合。

该数据站拥有来自不同学科的数据资料，甚至包括某些动物如水獭、狒狒等的数据。

---

[1] ASF——阿拉斯加 SAR 设施；LARC——兰利研究中心；JPL——喷气推进实验室；NSIDC——国家雪冰数据中心；LRNL——Oale Ridge 国家实验室。

[2] NOAA - SAA——美国气象卫星系列；GHRC——全球水文研究中心。

另外，还有通过定期观测获得的定期数据资料。DAAC 大部分数据资料都是免费提供的，这些数据可以通过 FTP 在相关数据中心下载。有些数据只需付很少的费用便可用光盘获取。

DAAC 一个突出的问题是，由一个机构来管理一个如此庞大的数据库几乎是不可能的。然而，将这些工作分配给不同的部门，让这些部门负责数据的管理和经营，问题便可以迎刃而解了。

10.7.2 Wal*Mart(沃尔玛超市)

Wal*Mart 是一家拥有 100 多家分店的连锁店，它经营众多种类繁多的家居用品、电器、玩具及其他商品。Wal*Mart 连锁店还包括遍布美国的服务站、体育商店和批发零售商。

20 世纪 80 年代末 90 年代初，Wal*Mart 在决定投资、协调总部、分部及零售商间的运作时遇到了困难。另外，Wal*Mart 当时的信息系统存在许多局限性，包括：

(1)有限的数据接口。

(2)仅保存三个月的在线分店数据(有限)。

(3)难以获得保存数年的分店历史记录。

(4)成百上千的短期总结书面报告。

所有的环境可以用“数据丰富，信息匮乏”(Hubber，1997)来形容。Wal*Mart 拥有大量数据，但是将数据转换为有用信息时遇到以下的障碍：

(1)数据库分散。

(2)部门经营目光短浅。

(3)数据接口有限。

Wal*Mart 面临的主要挑战是开发一个系统，将所有的数据都存放在一个中心数据库中，数据可通过任一平台调用，所有的数据都可以调用，数据库可支持数百位用户，数据调用实现全天候，用户可快速调用数据。

问题的解决办法是构建一个有标准接口的中心数据库。Wal*Mart 数据库已发展成为世界最大的数据库之一(Hubber，1997)。1998 年末，Wal*Mart 数据库已有 10TB 的容量，并正以每天 200 ~ 300MB 的速度增长。数据库中最大的表格包含 200 亿列，能支持 650 个用户同时使用(Wiener，1997)。数据库带来了巨大的利益，包括：

(1)更优的降价管理。

(2)改进下期计划。

(3)优化股票控制。

(4)商业谈判时突出增加优势。

(5)改进长期预测和趋势分析。

数据库的使用使 Wal*Mart 在竞争对手和供货商面前占据了决策上的优势。

10.7.3 地理数据库

在这个网络时代，许多 GIS 站点都宣称拥有数据库。然而，真正的分布式地理数据库却寥寥无几。大多数情况是网络包含一个单独协助站点用以接收来自共享原始数据的网络的数据资料。很多情况下，共享者是所有那些处理不同信息(如劳动力、健康、环境等)而又涵盖同一领域的部门。

美国华盛顿州 King County 就是这种方式的典型代表。KCGIS 共享分布于各个网络站点的空间数据库。在 KCGIS 中数据源自分布于网络上的 GIS 站点，并存储在一个通用空间数据库中。每个站点都有数据管理的责任以保证信息作为企业信息的广泛性和可信度。确保区域框架内不同空间数据可以正确叠置(KCGC，2001)。

King County 的原始数据通常以 Arc/Info Coverage 或 Arc View *.ship 文件存储，并按需生产地图。在线数据包括特征属性表、Coverage 描述、数据概览等。

一个真正的分布式信息系统的例子是 ANZLIC 的澳大利亚空间数据目录(http://www.environment.gov.au/net/asdd)。澳大利亚—新西兰信息委员会建立了在线界面，用户可以同时对所有成员数据库进行查询。元数据目录本身分布于 20 多个独立的站点。每个查询都将产生一系列子问题发布到网络上的每个站点。在各个站点，查询运行在由相应部门管理的元数据中。用户可以选择任何希望应用的站点组合来查询，每个站点自动执行本数据库的查询，并返回数据到用户界面以供浏览。

目前，众多标准正处在制定中，这将大大简化在线数据仓库，尤其是地理信息的创建过程。这些标准中有些是我们在前面章节中介绍过的，不过，我们有必要再来简单回顾一下。

有些标准是针对地理信息的，其他则是通用的，对所有类型的信息都适用。这些通用标准绝大多数来自于 W3C 的活动，另有一些是针对数据库的，还有针对 OGC 的(见第 7 章)网络地图服务(WMSI)接口标准。

OpenGIS 网络地图服务接口的特殊性决定了网络地图服务是一个具有以下三种功能的站点：

(1)制作地图(如图片、成套地理要素或一组压缩的地理地貌数据)。

(2)回答有关地图内容的基础性问题。

(3)告知其他程序可以制作何种地图及还可以进一步提出哪些问题。

这种设计的重要性意味着不同来源资源可以直接结合而不需要相关的两个部门直接协调。例如：它使我们有可能从一个站点上摘取出一幅卫星图片，将它叠置到取自另一站点的地图上。

WMSI 模型将数据处理分成四个独立的部分：

(1)利用查询约束条件从数据资源中筛选数据。

(2)按照要求的类型从数据中显示地貌要素。

(3)生成图像。

(4)用给定的格式显示图像。

这种层次结构的优点是数据传输方式有一定的灵活性。例如，如果客户能够生成利用可升级矢量图形(SVG)编程的地图，就可以直接在网上传输；而对于没有成图能力的“瘦客户”则需要将地图转化为 GIF 格式或 JPEG 格式的图片。

10.7.4 GML

另一个协调不同站点间地理信息传输的重要工具是 GML(见第 7 章)。OGC(OGC2000b)是这样描述 GML 的：GML 是一种用以传输和存储地理信息包括其几何特征的 XML 编码。该规范定义了 GML 采用 XML 编码地理信息的机制和语法。可以预见，GML 将对共享地理信息组织和连接地理数据集的能力产生主要影响。

一言以蔽之，GML 的重要性在于它提供了一种用 XML 标识 GIS 对象的标准。

10.7.5 PMML

DMG 数据挖掘组织是一个工业学术共同体，专注于推进数据挖掘标准的建立。该组织的在线服务由位于芝加哥的 Illinois 大学的国家数据挖掘中心负责。迄今为止，它的主要贡献或许就是 PMML 的开发。该组织在 2000 年 8 月发布了 PMML1.1 版本，对 PMML 描述如下(DMG2000)："PMML 是一种基于 XML 的语言，它为公司提供了一种便捷的方式来定义预测模型及抱怨多多的供应商供应方案之间的共享模型。"

PMML 提供了一种独立于供应商定义模型的方法，以便专利之争和不兼容性问题对应用之间的模型交换不再是障碍。它允许用户在供应商的应用方案内开发模型，而用其他供应商的方案显示、分析、评价或使用模型。这在以前实际上是不可能的，但有了 PMML，应用方案间的模型交换便可做到天衣无缝。"

PMML 为标识各种类型模型提供了 DTD，这些模型除包括统计、标准化、分类树、多项式回归、总体回归、关联规则、神经网络这些模型(DMG2000)，还包括详细说明数据字典和挖掘纲要的方法。

下面给出 PMML 规则定义简单数据字典的例子，这种情况下数据字典定义了三种类型的变量。

分类变量(如 landcover)：定义土地覆盖分类，可能取值为"森林"、"农场"或"草地"等。

序数变量(如 roadtype)：确定不同类型的道路等级。

连续变量(如 elevation)：其值为数字。

```
<data-dictionary>
<categorical name="landcover">
<category value="Forest"/>
<category value="Farmland"/>
<category value="."missing="true"/>
</categorical>
<ordinal name="roadtype">
<order value="Freeway" rank="4"/>
<order value="Highway" rank="3"/>
<order value="A" rank="2"/>
<order value="B" rank="1"/>
<order value="Track" rank="0"/>
<order value="." rank="N/A"missing"true"/>
</ordinal>
<continuous name="elevation">
<compound-Predicate bool-op="or">
<predicate name="elevation" op="le" value="1"/>
```

```
<predicate name="elevation" op="ge" value="10"/>
</compound-predicate>
</continuous>
</data-dictionary>
```

PMML 的主要功能是定义模型。例如，我们利用 PMML 定义一个决策树模型。决策树包含一系列相连接的节点，每个节点都有一个检测条件。例如，检测条件为“海拔高度 1 000 米”，若当地海拔高于 1 000 米，则返回“TRUE”，否则返回“FALSE”。这两个输出“TRUE”或“FALSE”便对应树中的两个分支。改变检测条件做进一步的划分，直至形成一棵完整的分类树，每个分支的末端就是所谓的叶节点。决策树中每个叶节点的值是确定的。

在分类问题中决策树是通用的，就像解释卫星图像数据。在下面简单的 PMML 编码例子中(基于 DMG2000 的语言描述)，我们定义了一个基于两个变量 var1 和 var2 上的简单决策树，请注意 XML 格式的运用。

```
<?xml version="1.0"?>
<pmml version="1.0">
<data-dictionary>
    <continuous name="var1"/>
    <continuous name="var2"/>
</data-dictionary>
<tree-model model-id="classify01">
<node><true/>
<node>
<predicate attribute="var1" op="le" Value="0.5"/>
    <node score="1">
    <predicate attribute="var2" op="le" Value="0.5"/>
    </node>
    <node score="2">
    <predicate attribute="var2" op="gt" Value="0.5"/>
    </node>
</node>
<node>
<predicate attribute="var1" op="gt" Value="0.5"/>
    <node score="3">
    <predicate attribute="var2" op="le" Value="0.5"/>
    </node>
    <node score="4">
    <predicate attribute="var2" op="gt" Value="0.5"/>
    </node>
```

```
</node>
<tree-model>
</pmml>
```

10.7.6 数据空间传输协议(DSTP)

与 PMML 紧密联系的是数据空间传输协议(DSTP)，该协议是由芝加哥 Illinois 大学国家数据挖掘中心(NCDM2000)制定的。DSTP 是旨在简化在线数据挖掘的建议标准(NCDM2000)，目标是为不同的数据库和系统跨 Internet 共享数据更为简单便捷。正如本章前面提到的，主题思想是采用预测模型标识语言(PMML)，把数据集转化成通用格式。就像超文本语言(HTML)允许人们以某种格式把文档置于网络一样，以便于读和显示。PMML 的目标是使数据集一致。在数据挖掘和数据仓库中遇到的问题之一是不同的人采用不同的格式存储数据。

10.8 地理数据仓库的前景

以下几个趋势推动数据仓库的传播：

(1)计算机存储容量和处理速度的增长，使数据仓库成为现实。

(2)增长的数据供应日益程序化，商业行为更自动化。

(3)因特网的发展使数据采集和分发更灵活。

从现在起的几年内，对于用户来说，环境信息仓库将会变成什么样呢？因特网的未来前景就是我们所称的“知识网络(Knowledge Web)”。现在对站点和主页的强调将逐渐淡化，取而代之的是用户只简单地查找主题信息，而用智能系统引导用户去查看信息，用户只要按系统的导引去做就是了。这些观点将应用到环境信息仓库中去。假设一个学生想知道本地区动植物的保护状况，系统将引导学生浏览相关的题目(例如生物多样性、地理信息等)，在每个阶段都提供一些背景信息及相关信息。地理查询可能包含在一张地图上选择一个区域，检索网络能提供的信息。

假设一个雇员希望有选择地查看 Tasmania 东南部自然资源的情况，在选定确切的区域和主题后，可以用一个报表生成器选择各种各样的项目。该选择可能包括资源标准列表、时期、地理区域、物质类型等。系统将会建立一个初步报表，深入地检索各方面的任何内容。

上述的系统离我们并不遥远。数据仓库(包括分布式数据仓库)相关的技术如数据挖掘构成了信息整理、解释、分发的新范式。在一些研究领域，像分子生物学和天文学，海量公共域数据仓库的增长引起了科学家工作方式的革命性变化。在其他领域，特别是环境管理领域，数据仓库的发展对未来环境的规划和管理将起决定性的作用。

第 11 章　空间信息新技术

现在我们已经了解了在万维网上实现地理信息服务的最新关键技术。许多技术方法还仅处于雏形时期。作为标准的 XML 在应用方面尚不普遍，造成这一现象的原因在于解释性语言的本质以及在连接 XML 文档和样式表(XSL)过程中的延迟。然而，一旦这一问题得以解决，我们就能如期看到 GML、SVG、PMML、DSTP，以及所有其他标准的快速应用。我们期待着这些标准和协议的应用不仅带来在线 GIS 的突破性进展，而且带来各种全新的应用。本章我们将探索一些前景的可行性，其中一些已经处于初步试验应用阶段。

11.1　全球 GIS 综览

在全球化日益增长的今天，在众多领域中，越来越多的问题要求管理者、计划者或决策人将决策置于全球的大环境中全盘考虑。商业趋于国际化，不仅通过跨国公司，同时通过电子商务、全球股票市场以及货币交易体现出来。

同样的状况在人类健康、社会发展、环境保护和管理以及政府运作方面都有所体现。举例来说，在人类健康方面，国际旅游业的快速发展使得诸如爱滋病(AIDS)这样的疾病已不仅仅是区域性问题，而成为全球性问题。持续扩大的交流使得文化和社会价值都变得具有全球性。在这种环境下，建立一个包含有任何地区任何专题地理信息的在线系统具有极高的价值。

不仅仅大型组织机构对即时、现势性的信息有需求。举例来说，我们设想一对生活在加拿大 Edmonto 的新婚夫妇想通过投资提高储蓄保障自己的未来。他们的考察不只限于加拿大，还包括全球范围。晚上他们上网并在澳大利亚、东京和香港的股票市场进行了交易。早上又在伦敦和波恩进行了同样操作。他们找到了自己感兴趣的公司，又自然而然地想找到更多。他们可能会考虑到一个位于新泽西多伦多有广阔前景的旅游公司、一个在俄勒冈州的波特兰的酿酒厂或者一个在苏格兰爱丁堡的制造智能机器人的公司。在每种情况下，他们都可能会想了解当地的信息，不仅仅是关于公司的信息，还有包括地域、本地竞争等诸如此类的信息。一言以蔽之，他们想了解世界各地的详细地理信息。

在其他的领域里，我们也会找到很多类似的例子。它们都十分关注获取全球地理信息的快速途径。下面我们将详细讨论一个特定论题：全球环境管理问题。

11.1.1　全球环境管理问题

在新千年里，人类面对的巨大挑战之一是如何管理全球环境以及自然资源。

这一问题是广泛的。地球表面的面积超过 5.09 亿平方公里，仅仅是测量这巨大的土地就是一个宏大的工程。据估计总的物种在 1 千万到 1 亿之间。以现在的发展势头，预计需要三百年的分类研究才能将它们证实。现代技术能够对这些工作有所帮助，但同时也会产生需要以某种方式存储的分类和解释它们的海量数据。

这一问题十分尖锐。人口增长的同时，资源的压力也随之增长。现在人类活动已遍及地球表面的每个角落，面对人口的急剧增长，有限的资源能否承担这样压力值得质疑。慢慢地我们将学会如何精心利用资源。

我们的最终目标是建立一个记录全球资源的全球信息仓库。目前，这一目标还难以达到。聚集一个地方所有的可利用信息几乎不可能。然而，随着交流的增强，尤其是作为全球交流媒介的因特网的兴起，使得建立这样一个分布式信息网络具有了可能性。

11.1.2 前景及问题

将地理信息放到网络上的合理做法是建立一个易用的、全球性的 GIS。如果不同来源的地理数据能够无缝集成为一体，这样一个系统的实现就不会有任何障碍了。接下来，我们主要讨论该系统的特征以及实现该系统所要做的实际工作。

首先，网络已经提供了许多相关领域的服务。这些服务大部分是提供基础材料，它们很容易成为全球 GIS 的构成部分。

(1)许多在线服务提供全球范围的地图。这些在线服务大部分以数字地图为主。将世界任何地方绘制为 1 米或更佳分辨率的地图是可行的。

(2)很多网站以及相关服务提供详细的地图或某些特定国家或地区的地理信息查询。

(3)有些网站提供全球范围的特定专题图(数据)及其相关查询。内容遍及不同类型的专题图层，如物理的、生物的、经济的以及政治的。

(4)很多网站提供特定地理事物详细的在线信息，如城市交通图、公园游览图及其相关信息。

全球 GIS 面临的挑战是将所有来源的数据集成到一个独立的可重用的系统中。这并不是什么新想法，在此之前已有许多工作积累。比较成功的集成在线服务也已出现，这为建立方便易用的全球 GIS 提供了极有力的支持。

在线服务的最好实例是在线旅游信息服务。这种服务提供了系统性的索引，与网络中大型的地理信息资源相连接。这些地理网络本质上都是旅游信息的高度概括，如酒店及其他服务行业的索引，它们依附于一个特定的产业链。有些网络已经开创了一个极好的开端，代表性的例子是虚拟旅行、单人行星旅行等。

现在可能会有人提出质疑：既然这样的系统已经存在，有必要从头开始建立一个全球 GIS 吗？我们要求的服务有时超出实际服务所提供的地理信息的广度和深度，而且，大多数现有的例子都是和某些商业需要相关联，受某些利益驱动的。它们对现存的信息资源的许多方面的挖掘是远远不够的。

国际组织已经开始密切关注这一问题。举例来说，全球生物多样性信息设施是一个建立在全球关于生物多样性守恒共识基础之上的模型。这一网络的建立完全是出于认知的需要，并非商业目的。

因此，建立全球 GIS 问题是一种客观需求。在全球化趋势下，人们需要了解全球各地详细的信息并与信息发生联系。同时，全球化的另一方面是每一种行为都对别的事物产生影响，因而商业投资也需要了解环境、社会、政治状况，以便为可能产生的影响和变化做好准备。同样，在实施决策时，管理者、计划者都需要了解潜在的商业、政治以及其他特定区域发展中的因果关系，做到胸有成竹。

为满足以上需要，全球 GIS 的信息层必须是易用的、可升级的。也就是说，用户应该可以任意放大并获取任意比例尺的区域地图以及数据图层。

构建一个真正意义上的全球GIS究竟涉及那些问题？许多技术需求在前面已经粗略描述过，尤其是第6章中关于网络、第10章中关于分布式数据仓库的描述。从这些相关的描述中可以明显地看出，在网络GIS中，国际认同的标准以及元数据规范起着极其重要的作用。显然，除获取大比例尺地图数据以外，国家制图委员会对网上地理数据，比如影像、地籍数据等精度的明确规定也是十分重要的。同样地，为实现网上数据销售，电子商务模型也需要随之发展。

运行全球GIS实际上是非常灵活的。我们可以假想一个运行的系统，它并不一定令人满意，但它至少应该有关于信息的外部标准和机制。可能相关的问题会特别复杂，复杂到使系统不仅难以发行，而且会庞大难以操作，带来的价值远比麻烦小得多。一个比较好的解决办法是，建立一种由用户要求驱动的、有助于系统主要要素自然融合的总体框架。建立这种框架面临的挑战是，既保证该框架总体融合，又保证这些要素具有普遍性。

元数据标准的发展，特别是XML的发展促进了这种融合，但是对标准的分化仍然有很大的空间。举例来说，不同的行业或职业可能会建立不兼容的域名、数据字典或其他标准，从而导致集成难以实现。对于这种问题，政府部门(不是参与这一过程的各个组织)应该给予充分的关注。

正如我们在第7章所介绍的，元数据是用来描述数据内容和数据精度的。虽然它包含了用户对其拥有的对象行使分配和取消特权的权利，例如对程序和数据集的访问权，但是仍难以满足真正灵活的电子商务的需要。可能需要附加的内容用以下例子说明：

(1)购买模型。实际上是一种智能代理或人性化浏览器，如希望购买大量数据，或是仅仅响应一个简单的查询，这类交易可通过信用卡、现存账户或者其他灵活的现金交易机制完成。

(2)安全模型。某些数据只能提供给特定的客户。例如有些数据可能只能提供给市民，有些数据只能提供给获得许可的联盟。为了证实代理确实拥有所需权限，需要合适的权威认证方法。

(3)版权模型。和安全因素密切相关，数据应该有防盗版水印或者其他加密措施，使其不能被复制，且只用于特定的目的(类似软件授权)。

我们推崇的面向对象方法在各种模型中十分关键。例如，酒店清单和物品单上描述的无非是面包、奶酪这类东西，但我们应注意到它们拥有的公共要素。将这些要素，如产地、责任人、地理位置等标识为具体的对象是十分重要的。这样我们就可以将这些不同信息资源以一种相对一致的方式管理起来。

我们上面所讨论的是解决问题的方法的扩展，这些方法总是存在于自上而下和自下而上的信息研究之间。建立全球GIS的最好途径是在这两种方法中寻求平衡结合点。政府(或者其他组织，如W3C)需要提供基本的自上而下的原则，允许和鼓励个人行为的、自下而上的主动性，同时确保遵守某些基本的准则。

同时，XML和Web的其他特征允许这种自下而上的行为。

11.2 智能系统

我们已经阐述了元数据在组织在线信息资源中的应用，也讨论了许多相关问题，但最重要的是如何最有效地利用信息。基于知识的智能系统提供了一种使元数据和数据内容协同工作的自然方式。这也是地理信息应用的极具潜力的方向。

11.2.1 实例：数字北京

数字北京是提供在线地理信息服务的很好的例子，是解决地理问题的智能系统的优秀代表。它提供了一种令人印象深刻的免费在线服务，接受服务的用户可以得到在北京地区任意两定位点之间公交换乘、周边环境、行车路线等方面的详细建议。在表单中输入起迄点的名称，系统会自动计算出最佳路线并且将结果返回给用户。输出形式为标出道路的地图，也包括详细的行驶方向。

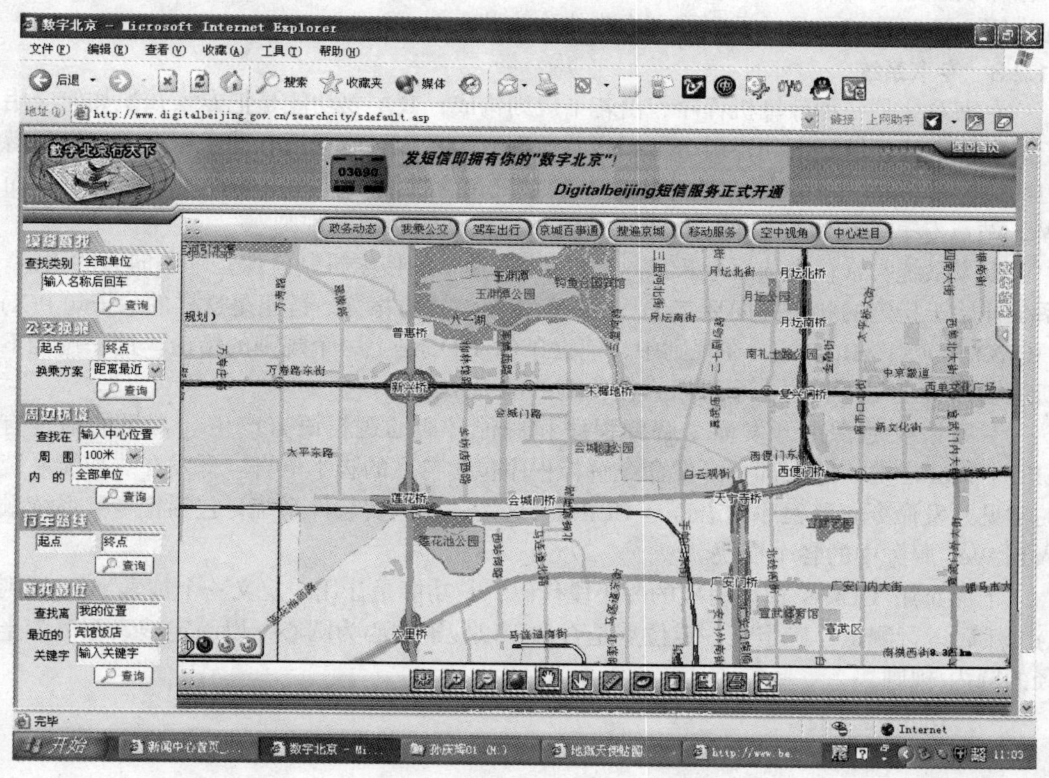

图 11-1 在线地理信息服务

注：引自 http://digitalbeijing.gov.cn/searchcity/sdefault.asp

11.2.2 基于知识的系统

信息是经过提取的数据，所以本质模型及关系更清晰；知识则更进一步，它描述如何使用信息的各个细节。

知识通常以规则的形式表现。规则具有 P→Q 的一般形式(读作“P 隐含 Q”或者“如果 P，那么 Q”)，这里 P 和 Q 是逻辑声明。以下是一个简单的例子，说明了某些可能用于智能生态旅游信息系统的各种规则。

如果 X 是公园，并且邻近主要城市，那么 X 具有生态旅游潜力。

如果 X 市的人口超过 100 000，且 X 有机场，那么 X 是主要城市。

如果 X 和 Y 之间的距离小于 200 公里，那么 X 临近 Y。

以下规则集表明了这种查询—定位搜索地球物理信息的 Web 站点。

如果网站 X 与生态相关，则搜索网站 X。

如果网站 X 可用，并且 X 和站点 Y 临近，则 X 和 Y 相关。

如果网站 X 列在参考站点表中，则 X 是可用的。

如果网站 X 的关键词包含 Y，那么站点 X 是一个 Y 站点。

许多系统协同规则，或明确，或隐含。大部分电子邮件程序都允许用户对所收邮件进行过滤。如用户可以依据邮件主题或发送者的地址将邮件的拷贝放到不同的文件夹里。数据库或者电子表格可以将数据以特定属性按规则存储起来。比如，电子表格软件 Excel 允许用户按照自定义的一系列规则在表格中查找。

11.2.3 专家系统

专家系统是一种计算机程序，由若干规则构成，其主要功能是把专家知识如何应用于某个特定的领域。例如，一个生态旅游地理专家系统可能包括有助于辨识具有发展潜力的旅游地点的若干规则，地球物理专家系统包含探测某种特定矿产产地的规则，而 Web 站点专家系统包含如何定位提供特定种类数据的网站的规则。

专家系统常常包含成百上千条这样的规则。通常的搜索机制就像是一条向后的锁链。系统开始于指定的状态并向后工作。对任何潜在解决方案 X，链条是这样的：子句 P(X)→Q(X)→Q(X)→R(X)等。在规则中，前提条件 Q(X)是上一个规则的结论。这一过程不断持续，直至程序找到一个可以直接检测的前提条件。

专家系统通常由开发命令解释程序和一种合适的逻辑语言产生。常见的语言有 LISP、Prolog 等。绝大部分开发命令解释程序包含自己的脚本语言。开发在线智能系统的常见开发命令解释程序的语言是 CLIPS。这是一种免费软件系统，包括把专家系统融入到 Web 服务中的各个模块。

下面是用 CLIPS 语言写成的一小段代码，其功能是让用户定义一个搜索半径(规则 1)。然后运行测试，确定某一定位点是否位于以搜索中心为圆心，以一定搜索距离为半径的圆内(规则 2)。

```
    (defrule rulel
        =>
        (printout t "what search radius do you want?" crlf)
        (assert (radius = (read))))

(defrule rule4
        (radius ?r)
        (distance ?d))
        (test (< ?r ?d))
        =>
```

```
(assert (accept_point yes)))
```

11.2.4 自适应代理

在构建专家系统时，专家们试图融合解决一种特定问题所有必需的知识，这可能会陷入一个很长的开发周期中。而且，还有许多问题是不可能获得全部知识的。在这种情况下，获取新的规则和数据必定是一个长期的系统行为。例如，当在万维网中搜索信息时，新网站总是发布，新数据总是不断地加入，所以专家系统必须能够不断地添加这些信息项到其信息库中。

自适应代理是解决这类问题的软件程序。“代理”这个术语有多种相关意义。一方面是用户端程序执行的操作。例如大多数 Web 搜索引擎采用软件代理自动在网站间搜索，记录、索引相关内容。另一方面关注自动执行某些任务或函数的程序。“自适应”这个术语指的是软件随着待解决问题的变化而改变其行为。总体来说，搜索引擎所使用的软件代理并不是自适应的。因为虽然它们累积大量虚拟数据，但它们发生作用的方式本质上并没有改变。

代理适应的一种方法是增加知识的存储量。也就是说，给行为指令表中添加新的规则。实例是说明问题的最好方法。假设执行一种特定的 Web 搜索，用户用一系列提供准确建议的规则训练代理。在这些条件下，代理不仅能执行查询，而且也添加建议到知识库中。就是这种方式，未来用户能够进行同样的查询而不必再建议代理如何做。当然，为确保未来用户知道这种查询是有效的，还需要给代理一个激活它的名称。

代理能从事更进一步的学习。假如我们要求代理查询生长在新西兰的 Kauri 树的信息并提交报告。为实施该查询，我们为代理设置了一套适当的规则，并将该查询命名为 NZKAURI。那么这个查询就成为一个新的例程，后来的用户在任何时候只要援引这个名字就能够执行相应的检索。然而，当这个名字仅局限于特指“林木”和“新西兰”时，这个查询就很受限制。我们可以通过替换该特定术语来归纳这次查询。我们怎样概括“林木”和“新西兰”这样的术语，使其更具一般性呢？假设我们用 XML 来表达这一查询，那么这一查询的开头可能描述如下：

```
<query name = "NZKAURI">
<tree>kauri</tree>
<country>New Zealand</country>
…rest of definition…
</query>
```

现在，归纳查询使之具有一般性的方法已经很清楚了。我们只是减少了一些限制，把所有工作集成到 NZKAURI 这个函数中。该函数具有在更广阔的基础上表明问题的能力。原则上，它可以回答关于其他国家 Kauri 树的问题，也能回答关于新西兰其他树种的问题，可以回答任何国家任何一种树木的问题。

当然，这种一般性方法的成功完全取决于查询是如何切实执行的。例如，如果该查询用了大量仅特指 Kauri 树的孤立资源，那么它就完全失去了查询其他国家、其他树种的可能。如果系统自身功能限定在一个狭窄领域内，或者系统服务于极为广阔的领域，这种一般性最有可能实现。

如上所述，通用模式匹配只是在线代理获取信息的多种方法之一。另一种可能是提供一种自然语言，通过用户的输入，系统执行这种自然语言完成查询。

11.2.5 分布式智能蚂蚁模型

生命科学研究中最令人震撼的是秩序。在许多生物系统中，秩序是许多代理与其环境相互作用的结果。例如，在昆虫群体，如蚂蚁或者大黄蜂群体中，昆虫个体对其群体是什么样子并没有明确概念。它们的行为遵从非常简单的规则。一只蚂蚁看到周围有废弃物，自然会把它衔起来。蚂蚁正扛着废弃物前行，却发现周围还有别的废弃物，于是就扔下现有废弃物，去捡新的废弃物。这种简单的行为重复成百上千次后，蚂蚁群落的物品，如食物、虫卵、废弃物等被分类放置到不同地方。这就是蚂蚁群落的秩序。

许多很有价值的应用正是源于这个简单的发现。例如 Rodney Brooks 将这个想法运用到机器人技术中，设计出了控制机器人行走的有效机制，该机制根本无需中央控制。同样，效仿蚂蚁的分类法则，计算机系统无需再应用别的特定算法也可以自然地发出指令。在蚂蚁群落中，蚂蚁既改变也移动周围的物品，即使它们做不到，也会留下某种激素的痕迹以确保其他蚂蚁能轻松找到该物品。

那么，这些想法该如何应用于在线 GIS 呢？首先，应该意识到，相对于 Internet，蚂蚁分类模型是个理想模型。网络是数据的海洋，每时每刻都有新的数据增加。假设虚拟蚂蚁在网上寻找特定专题的数据，如地理数据，它们会用虚拟激素留下自己的痕迹以作标志。可以通过一些方式完成这种行为。比如说，一种途径是保存你所登陆过网址的历史纪录。其他蚂蚁们看到这个清单就知道那些网站是相关且有效的了。

蚂蚁分类模型也有些技术难点，比如它适于从不更新的数据源上获取信息。现实生活中，一只蚂蚁把食物从激素所指示的位置搬走，靠的是追踪激素痕迹，而一旦激素消耗殆尽，它们就不再释放，路径也就此断开。而网上资源并非如此，大量操作在一个单独站点上集中是很冒险的。一个可能的解决方法是，将蚂蚁信息的拷贝放在缓存中，如果在一个规定的时间里，该蚂蚁不能到达，就将该信息删除。

11.3 移动计算

空间信息是我们生活中很复杂的组成部分。在一个陌生城市里，从在宾馆附近不远的距离内寻找一家素餐馆，到寻找一家可以维修美洲虎汽车的修车行，地图查询有着如此之多亟待开发的应用。

现今，地理信息系统还远未为多数人所掌握，它需要特殊的技术和软件支持。

简化型 GIS 已在掌上电脑上开始应用。它们含有装载(卸载)数据的选项，运行在小数据量 GIS 功能模型上。同时，移动电话也开始融入 Internet。但类似无线设备有明显的局限性：显示屏很小，色彩有限，带宽很窄。这样一比较，用户估计不会使用微弱功能的 GIS 进行查询，还是会选择在线 GIS 执行空间查询。

实现网络 GIS 需要一种新的方法：空间查询通过从服务器端智能地下载打包信息得到响应。客户、信息系统用户感兴趣的空间查询主题词对得到最佳查询结果是至关重要的。客户当然不希望因为一个简单的餐馆查询而购买大数据量的数字地图，他们只愿意支付较少的费用，仅相当于电话查询的价钱或更低。

掌上设备，如移动电话，仅具有有限的人机交互功能：没有类似于电脑的那种通用键盘；有些使用笔输入方法；屏幕分辨率低，经常是单色的；声音识别有极大发展潜力，但是只能集成在手机内部，记录个人的声音。所以查询必须简要、高度概括。另外，查询需要包括既识别用户和设备，又触发相关主题词，或者提供一种以 Web 标准形式出现的规范。

隐私是一个至关重要的问题。数据服务器知道的用户信息越多，处理客户响应的能力就越强。然而，客户同时也很不情愿地失去了个人或组织的信息。新的隐私法，如 2000 年 7 月 1 日澳大利亚新威尔士州出台的隐私法已经付诸实施，确保客户拥有更多的访问权和控制权。如果客户委托给代理，就要保证个人信息不在 Internet 上传播。目前，这种机制尚不健全。客户对存储的数据拥有访问权和控制权，避免在未经授权的情况下被传播，这是很有必要的。数据代理程序模型能够把个人信息注册到一个信誉好的代理中，以一种简洁的方式执行规则查询。

许多制图机构正面临着持续增长的压力，即如何以多种多样的方法销售其数据。在线销售无疑很有前景。然而，考虑数据量和数据多样性，必须建立一个有效的商业模型，负责处理以下问题：诚信度、数据水印、面向不同客户的分类、第三方转卖数据的问题等。

新标准正在出台，上述一切即将成为现实。在第 7 章中我们描述了 OpenGIS 规范，还有几个规范正由无线应用论坛酝酿制定。同时，数字签名和安全问题也已经取得很大进展。

11.4 从网络 GIS 到虚拟世界

如果你想去一个地方，比查看地图更好的办法是什么呢？答案很简单：去那个地方。可是如果当你无法去那里，那么最好的做法就是在虚拟中到达。

当一个建筑师想向客户展示他的新作，建筑规划是必不可少的，其中包括建筑样图，可以让客户从不同角度观看的模型等(见图 11-2)。

图 11-2　虚拟建筑模型

近些年来，建筑师们开始为他们计划建设的建筑物制作虚拟现实模型。用这种方式，在建筑物开始动工之前，住户就可以看见完成以后的样子。他们还可以尝试设计变化和颜色。同样的技术也可以用于虚拟古代建筑的重建工作。

虚拟空间的思想在网络 GIS 中得到了应用。如有人在网上建立了虚拟旅行 GIS。该系统可以让学生们在从未进行过野外旅行的情况下尝试虚拟的野外旅行，并从中获取经验。还有一个优点是，他们可以从错误中吸取教训(比如说在糟糕的天气状况下，哪些事情是不能做的)，从而在真实的情况下就会避免再犯类似错误。

虚拟现实技术已经扩展和应用到 GIS 中。借助虚拟 GIS 我们可以评估砍伐树木对环境的影响，并允许用户自定义各种场景，享受身临其境的感觉。

许多游戏软件使游戏者置身于虚拟世界之中。比如在《红色警戒》(Red Alarm)和《帝国时代》(Empire Times)这样的游戏中，游戏者可以选择地域，发展个人建筑的级别。在有些游戏中，游戏者可以在虚拟的景物中，沿着给定的路线图驾车行驶，或者在全 3D 世界中越野。我们可以认为这些游戏软件跟 GIS 技术是密切相关的(见图 11-3)。

图 11-3　著名游戏软件《帝国时代》中的一个场景

将 GIS 和虚拟现实相结合，对网络 GIS 来说，只是迈出了小小的一步。

如果网络用户可以在不同领域进行探索，并与其他探索者进行交流。为什么不将真实的物体用虚拟技术再现呢？现在许多地区，如中心城市，已经有了精度极高的地图。通过虚拟我们就可以看到城市的著名建筑了。伦敦的市区旅游图经常含有一些建筑的图片，为什么不把这些地图上的图片变成网上的虚拟世界呢？如果这样，旅游者和学生就可以将这些地方和他们曾经访问的地方进行比较，或者到更遥远的地方探索，比如安第斯山脉、喜马拉雅山脉，收获甚至比他们在现实生活中获得的还多。

空间信息技术的研究和应用方兴未艾，与网络 GIS 发展相关的新技术必将展现出越来越美好的前景。

参 考 文 献

[1] 王家耀．空间信息系统原理．北京：科学出版社，2001

[2] Tor Bernhardsen. Geographic Information Systems (third edition). New York: John Wiley & Sons，2002

[3] 范国平．新概念 XML．北京：科海集团公司，2001

[4] 蒋景瞳．中国地理信息元数据标准研究．北京：科学出版社，1998

[5] 周之英：现代软件工程（下）——新技术篇．北京：科学出版社，2001

[6] 龚建雅．当代 GIS 的若干理论和技术．武汉：武汉大学出版社，1999

[7] 李琦，等．WebGIS 中地理空间 Metadata 管理系统设计．中国图像图形学报，2000，5(A 10)

[8] Wilson，J.D．互操作性打开 GIS 的茧壳．张家庆译．遥感信息，1998

[9] 华一新，等．地理信息系统原理与技术．北京：解放军出版社，2001

[10] M.Tamer Ozsu. Patrick Valduriez. 分布式数据库系统原理．北京：清华大学出版社，2002

[11] 李宏伟，等．地理空间数据分布式存储与管理．地球信息科学，2003(3)

[12] 刘啸，等．基于 XML 的 SVG 应用指南．北京：科海集团公司，2001

[13] 冯博琴，吕军，等．计算机网络．北京：高等教育出版社，2002